Gestión administrativa de las relaciones laborales

UF0342

Cálculo de prestaciones de la Seguridad Social

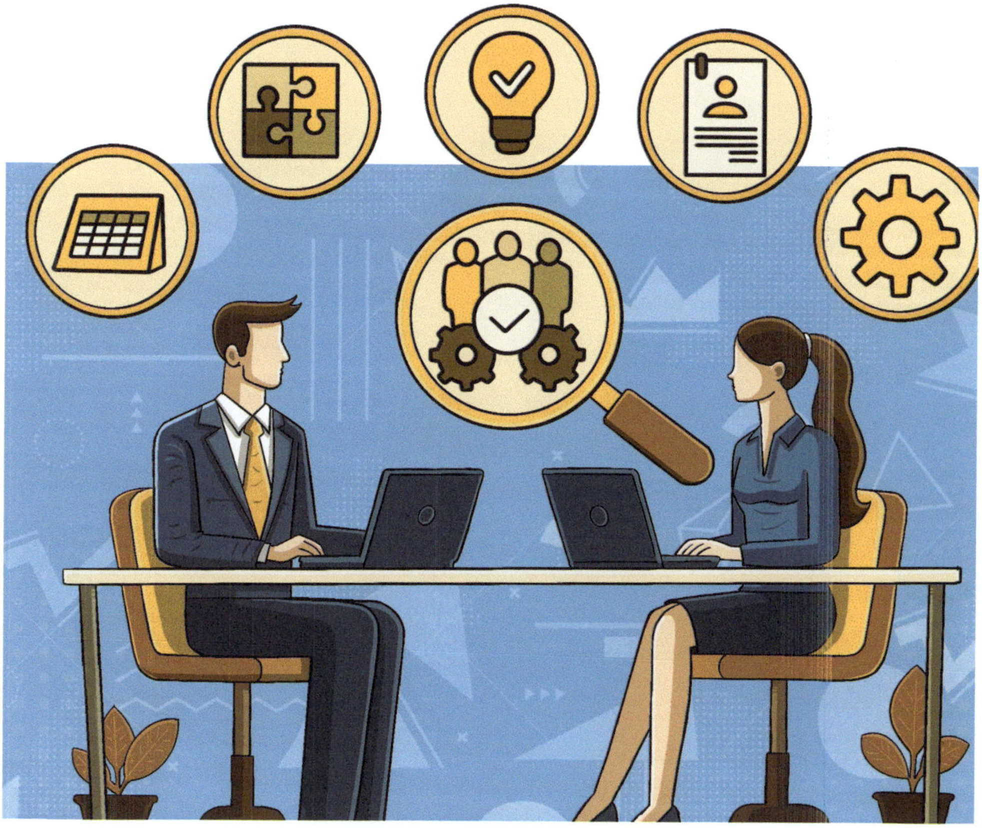

RE/RRHH/DG/4-61

Adams. EDITORIAL

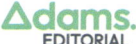

 *Anagrama «LUCHA CONTRA LA PIRATERÍA», propiedad de Unión Internacional de Escritores.*

CONSEJO DE REDACCIÓN

Jorge Pérez Pérez

MAQUETACIÓN

Esther Martínez Hernández

ILUSTRACIÓN DE CUBIERTA

Ignacio Velasco Marugán

EDITORIAL

© Centro de Estudios ADAMS. Ediciones Valbuena
C/ Narciso Serra, 14
28007 Madrid
adamsediciones@adams.es
adams.es

I.S.B.N.: 978-84-1077-848-1
Depósito legal: M-10886-2026
Editado en abril de 2026
Imprime: Centro de Estudios Adams. Ediciones Valbuena, S.A.
Impreso en España. Printed in Spain

Presentación

Comprometidos por ofrecer una propuesta formativa ajustada a las necesidades de la sociedad y del mercado de trabajo, Adams presenta este curso de **Cálculo de prestaciones de la Seguridad Social** desarrollado conforme a los **Certificados profesionales** y, por tanto, vinculado al **Catálogo Nacional de Cualificaciones**. De esta manera, es posible obtener la acreditación oficial, con validez en todo el territorio nacional, de estar en posesión de las aptitudes y conocimientos que permiten un óptimo desempeño profesional, una vez superadas las pruebas establecidas al efecto.

Esta **Unidad Formativa**, con una duración asociada de 30 horas, forma parte del **Certificado profesional de Gestión integrada de Recursos Humanos**, perteneciente a la familia de Administración y Gestión.

En la elaboración de los contenidos hemos pretendido garantizar la **adquisición, mejora y actualización de las competencias profesionales** requeridas en el mercado laboral, así como fomentar el **aprendizaje**.

Para conseguir tal objetivo, cada unidad didáctica presenta la siguiente estructura:

UNIDAD DIDÁCTICA

Acción protectora de la Seguridad Social

Título

Según el programa oficial publicado en el BOE.

Objetivos

Al comienzo de la unidad didáctica, identifican las capacidades que podrás adquirir.

Objetivos

☐ Aplicar los diferentes tipos de prestaciones regulados en el Sistema de la Seguridad Social para prever, reparar o superar situaciones de infortunio o estado de necesidad concretos.

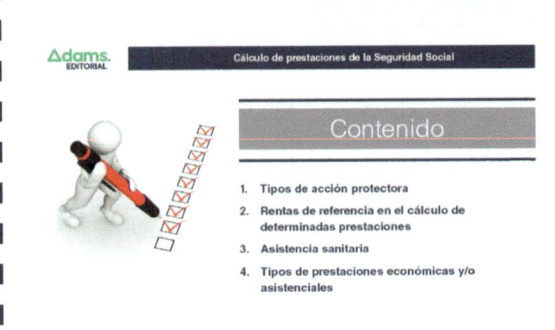

Índice de contenidos

Proporciona una visión general del contenido, enumerando todos los aspectos que se desarrollan en la unidad didáctica.

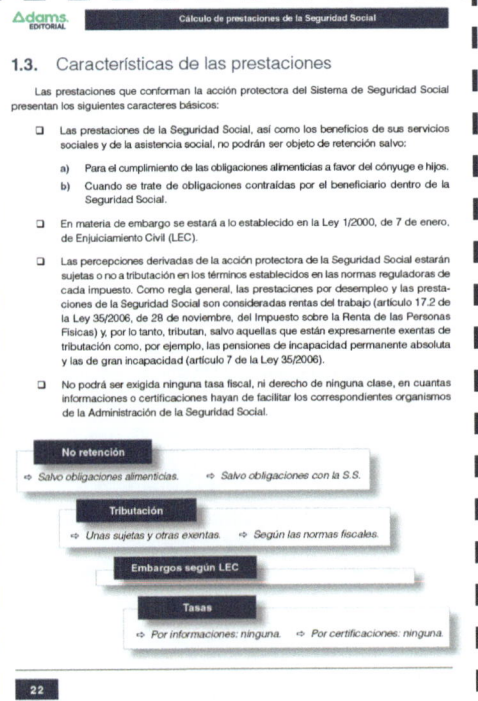

Exposición y desarrollo

Del contenido del programa oficial, con notas destacadas al margen, como "Definición", "Recuerda", "Información"…

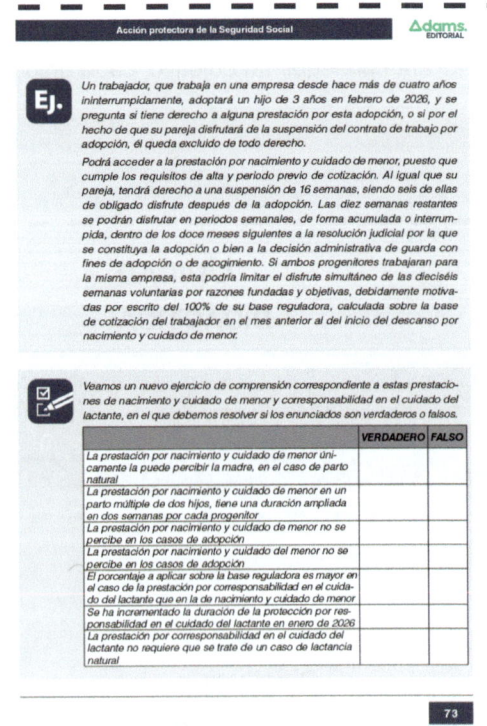

Ejemplos y Actividades

Interrelacionados con los contenidos estudiados y que aportan una visión práctica de la materia.

Acción protectora de la Seguridad Social

Autoevaluación Unidad

Enunciados nº 1

---

1. La situación de infortunio que no tiene relación directa con el trabajo se denomina:

a) Contingencia profesional.
b) Contingencia por enfermedad.
c) Contingencia común.
d) Accidente de trabajo.

2. No forma parte de la acción protectora del Sistema de Seguridad Social:

a) La asistencia sanitaria.
b) La recuperación profesional.
c) Las prestaciones económicas.
d) Los permisos por enfermedad de un familiar.

3. Las prestaciones financiadas con cargo a los Presupuestos Generales del Estado se consideran:

a) Prestaciones en su modalidad contributiva.
b) Préstamos del Estado.
c) Prestaciones no contributivas.
d) Contribuciones sociales.

Autoevaluaciones

Te ayudarán a comprobar el grado de asimilación de la materia estudiada, en base a las competencias a adquirir y sus criterios de realización.

Supuestos Prácticos

Aportan la aplicación de los conocimientos y del saber hacer en un contexto real de trabajo.

Cálculo de prestaciones de la Seguridad Social

Supuesto Práctico

Enunciado nº 1

Prestación por desempleo

Un trabajador por cuenta ajena de 30 años, soltero y sin hijos, perteneciente al grupo de cotización 6, causa baja por despido el 31 de enero de 2026. Le quedan por disfrutar 5 días de vacaciones que la empresa procede a pagarle.

No ha recibido ninguna prestación por desempleo en los 6 años anteriores.

Tiene cotizados 2 años y 7 meses en los últimos seis años. Ha permanecido en la misma empresa a jornada completa los últimos 6 meses y con el mismo salario, su base media de cotización por contingencias comunes es de 1.400 euros mensuales y por contingencias profesionales de 1.500 euros mensuales (la diferencia entre una y otra son las horas extraordinarias que ha realizado en ese periodo).

Cuestiones:

1. ¿Tendrá derecho a la prestación por desempleo?
2. Duración máxima de la prestación.
3. Cuantía.
4. Plazo para solicitar la prestación.
5. ¿Sería compatible con un trabajo a tiempo parcial?
6. Si el cese en la empresa fuese motivada por baja voluntaria, ¿podría solicitar en este momento la prestación de desempleo?
7. ¿Podría, tras agotar la prestación de desempleo, tener derecho al subsidio de desempleo? ¿Qué carácter tiene este último: contributivo o asistencial?
8. Enumerar las causas de extinción de la prestación.

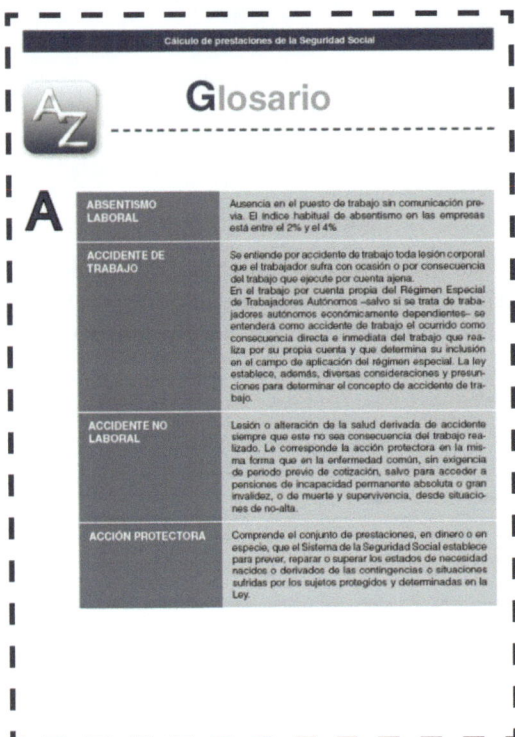

Glosario

Te ayudará a comprender mejor el significado de algunas palabras.

Bibliografía y Webgrafía

Para ampliar tus conocimientos en caso de considerarlo necesario.

En nuestra página web **adams.es** estarás al día de todo en cuanto a información sobre cursos, productos y servicios se refiere, además tendrás la opción de dirigirnos cualquier consulta o sugerencia a través de **adams@adams.es**

Esperando haber cumplido el objetivo propuesto, te expresamos nuestros mejores deseos de éxito.

EDITORIAL

Índice

Familia profesional: **ADMINISTRACIÓN Y GESTIÓN**

Área profesional: **Administración y auditoría**

FICHA DE CERTIFICADO DE PROFESIONALIDAD: GESTIÓN INTEGRADA DE RECURSOS HUMANOS (ADGD0208)

H. Q	Módulos certificado	H. CP	Unidades formativas	Duración Horas	Máx. Horas Distancia
160	MF0237_3: Gestión administrativa de las relaciones laborales	210	UF0341: Contratación laboral	60	60
			UF0342: Cálculo de prestaciones de la Seguridad Social	30	30
			UF0343: Retribuciones salariales, cotización y recaudación	90	90
			UF0344: Aplicaciones informáticas de administración de recursos humanos	30	30
90	MF0238_3: Gestión de recursos humanos	150	UF0345: Apoyo administrativo a la gestión de recursos humanos	60	60
			UF0346: Comunicación efectiva y trabajo en equipo	60	0
			UF0044: Función del mando intermedio en la prevención de riesgos laborales	30	30
120	MF0987_3: Gestión de sistemas de información y archivo	120	UF0347: Sistemas de archivo y clasificación de documentos	30	30
			UF0348: Utilización de las bases de datos relaciones en el sistema de gestión y almacenamiento de datos	90	80
120	MF0233_2: Ofimática	190	UF0319: Sistema operativo, búsqueda de la información: internet/intranet y correo electrónico	30	30
			UF0320: Aplicaciones informáticas de tratamiento de textos	30	30
			UF0321: Aplicaciones informáticas de hojas de cálculo	50	45
			UF0322: Aplicaciones informáticas de bases de datos relacionales	50	45
			UF0323: Aplicaciones informáticas para presentaciones: gráficas de información	30	30
	MP0078 Módulo de prácticas profesionales no laborales	120			
490	**Duración horas totales certificado de profesionalidad**	790			
			Duración horas módulos formativos	670	590
				Total %	88,06

Iconos

Actividad

Contenido extra

Definición

Ejemplo

Enlace web

Importante

Información

Lectura recomendada

Legislación

Listening

Nota

Objetivos logrados

Recuerda

Reflexiona

Vocabulario

 *Acude a los Contenidos Extra para ver la introducción relativa a esta Unidad Formativa, donde se indica la exposición, análisis contable y financiero, elaboración de cuentas anuales, etc.*

Los Contenidos extra que complementan esta edición están disponibles en la página web:
http://www.recursoscertificados.com/ 9788410778481

UNIDAD DIDÁCTICA

Acción protectora de la Seguridad Social

Objetivos

☑ Aplicar los diferentes tipos de prestaciones regulados en el Sistema de la Seguridad Social para prever, reparar o superar situaciones de infortunio o estado de necesidad concretos.

Contenido

1. Tipos de acción protectora

2. Rentas de referencia en el cálculo de determinadas prestaciones

3. Asistencia sanitaria

4. Tipos de prestaciones económicas y/o asistenciales

1. Tipos de acción protectora

La acción protectora de la Seguridad Social constituye el conjunto de prestaciones de todo tipo que el Sistema instrumenta para conseguir la finalidad fijada en el artículo 41 de la Constitución española (CE) y que no es otra que la de garantizar a los ciudadanos la asistencia y las prestaciones suficientes ante situaciones de necesidad. Por otra parte, debemos recordar que el artículo 43 de la propia CE reconoce el derecho a la protección de la salud, de modo que esta pasa a ser uno de los objetivos principales de la acción protectora de la Seguridad Social.

El vigente texto refundido de la Ley General de la Seguridad Social (TRLGSS), aprobado por Real Decreto Legislativo 8/2015, de 30 de octubre, es la norma básica reguladora de la acción protectora de nuestro Sistema de Seguridad Social.

1.1. Conceptos

Antes de centrarnos en la tipología de la acción protectora, es preciso clarificar algunas premisas conceptuales que facilitarán la comprensión de la materia:

Contingencia

Denominamos contingencia a una situación de infortunio, definida por la Ley.

- ❑ **Contingencias comunes:** son aquellas que no tienen relación directa con el trabajo. Así, por ejemplo, son contingencias comunes la enfermedad común, el accidente no laboral o el nacimiento de hijo y cuidado de menor.

- ❑ **Contingencias profesionales:** son aquellas que tienen relación con el trabajo. Son profesionales las contingencias de accidente de trabajo, enfermedad profesional, así como el riesgo durante el embarazo y el riesgo durante la lactancia natural.

Dentro de las contingencias profesionales, tiene especial importancia el concepto de **accidente de trabajo (artículo 156 TRLGSS): se entiende por accidente de trabajo toda lesión corporal** que el trabajador sufra **con ocasión o por consecuencia del trabajo** que ejecute por cuenta ajena. **Tendrán la consideración de accidentes de trabajo:**

a) Los que sufra el trabajador al ir o al volver del lugar de trabajo. Son los llamados accidentes "in itinere".

b) Los que sufra el trabajador con ocasión o como consecuencia del desempeño de cargos electivos de carácter sindical, así como los ocurridos al ir o al volver del lugar en que se ejerciten las funciones propias de dichos cargos.

c) Los ocurridos con ocasión o por consecuencia de las tareas que, aun siendo distintas a las de su grupo profesional, ejecute el trabajador en cumplimiento de las órdenes del empresario o espontáneamente en interés del buen funcionamiento de la empresa.

d) Los acaecidos en actos de salvamento y en otros de naturaleza análoga, cuando unos y otros tengan conexión con el trabajo.

e) Las enfermedades, no incluidas en catálogo de enfermedades profesionales (Real Decreto 1299/2006, de 10 de noviembre), que contraiga el trabajador con motivo de la realización de su trabajo, siempre que se pruebe que la enfermedad tuvo por causa exclusiva la ejecución del mismo (artículo 157 TRLGSS).

f) Las enfermedades o defectos, padecidos con anterioridad por el trabajador, que se agraven como consecuencia de la lesión constitutiva del accidente.

g) Las consecuencias del accidente que resulten modificadas en su naturaleza, duración, gravedad o terminación, por enfermedades intercurrentes, que constituyan complicaciones derivadas del proceso patológico determinado por el accidente mismo o tengan su origen en afecciones adquiridas en el nuevo medio en que se haya situado el paciente para su curación.

❏ Se presumirá, salvo prueba en contrario, que son constitutivas de accidente de trabajo las lesiones que sufra el trabajador durante el tiempo y en el lugar del trabajo. No obstante, no tendrán la consideración de accidente de trabajo:

a) Los que sean debidos a fuerza mayor extraña al trabajo, entendiéndose por esta la que sea de tal naturaleza que no guarde relación alguna con el trabajo que se ejecutaba al ocurrir el accidente.

En ningún caso se considerará fuerza mayor extraña al trabajo la insolación, el rayo y otros fenómenos análogos de la naturaleza.

b) Los que sean debidos a dolo o a imprudencia temeraria del trabajador accidentado.

❏ Finalmente, no impedirán la calificación de un accidente como de trabajo:

a) La imprudencia profesional que sea consecuencia del ejercicio habitual de un trabajo y se derive de la confianza que este inspira.

b) La concurrencia de culpabilidad civil o criminal del empresario, de un compañero de trabajo del accidentado o de un tercero, salvo que no guarde relación alguna con el trabajo.

CUADRO RESUMEN CONTINGENCIAS		
Contingencias comunes	No tienen relación directa con el trabajo.	
Contingencias profesionales	**Tendrán la consideración de accidentes de trabajo**	Accidentes "in itinere".
		Los que sean consecuencia del desempeño de cargos electivos de carácter sindical.
		Los ocurridos por consecuencia de las tareas que, aun siendo distintas a las de su grupo profesional, ejecute el trabajador en cumplimiento de las órdenes del empresario o espontáneamente.
		Los acaecidos en actos de salvamento que tengan conexión con el trabajo.
		Las enfermedades, no incluidas en catálogo de enfermedades profesionales, que contraiga el trabajador con motivo de la realización de su trabajo.
		Las enfermedades padecidas con anterioridad por el trabajador, que se agraven como consecuencia del accidente.
		Las consecuencias del accidente que resulten modificadas en su naturaleza, duración, gravedad o terminación, por enfermedades intercurrentes.
	No tendrán la consideración de accidente de trabajo	Los que sean debidos a fuerza mayor extraña al trabajo.
		Los que sean debidos a dolo o a imprudencia temeraria del trabajador accidentado.
	No impedirán la calificación de un accidente como de trabajo	La imprudencia profesional que sea consecuencia del ejercicio habitual de un trabajo y se derive de la confianza que este inspira.
		La concurrencia de culpabilidad civil o criminal del empresario, de un compañero de trabajo del accidentado o de un tercero.

Realicemos el siguiente ejercicio de comprensión:

De las situaciones que se describen a continuación, algunas constituyen, desde el punto de vista de la Seguridad Social, una contingencia común, mientras que otras son contingencias profesionales:

CONTINGENCIA	COMÚN	PROFESIONAL
Un trabajador adopta un niño de 3 años		
Una trabajadora tiene un embarazo de riesgo, incompatible con su trabajo		
Un trabajador cumple 65 años y cesa en el trabajo por tener derecho a la pensión de jubilación		
Una trabajadora sufre un accidente de tráfico cuando se dirigía a su trabajo		
Un trabajador contrae la gripe		
Una trabajadora, casada y con un hijo de 2 años, muere en un accidente doméstico		
Un trabajador resulta herido por una máquina en su trabajo, quedando incapacitado para trabajar de modo definitivo		

Veamos ahora las soluciones:

CONTINGENCIA	COMÚN	PROFESIONAL
Un trabajador adopta un niño de 3 años	X	
Una trabajadora tiene un embarazo de riesgo, incompatible con su trabajo		X
Un trabajador cumple 65 años y cesa en el trabajo por tener derecho a la pensión de jubilación	X	
Una trabajadora sufre un accidente de tráfico cuando se dirigía a su trabajo		X
Un trabajador contrae la gripe	X	
Una trabajadora, casada y con un hijo de 2 años, muere en un accidente doméstico	X	
Un trabajador resulta herido por una máquina en su trabajo, quedando incapacitado para trabajar de modo definitivo		X

| Estado de necesidad |  | Es la consecuencia de una contingencia, de modo que quien sufre la contingencia sufre también una modificación en sus condiciones de vida que le provoca una situación de necesidad. |

| Hecho causante |  | Acontecimiento o circunstancia fáctica que genera el estado de necesidad. |

| Prestación | | Es el mecanismo paliativo del estado de necesidad establecido por la Seguridad Social. |

| Acción protectora | | Es el conjunto de prestaciones de todo tipo que establece el Sistema de Seguridad Social. |

CONTINGENCIA	HECHO CAUSANTE	ESTADO DE NECESIDAD	PRESTACIÓN
Desempleo	Despido	Pérdida de ingresos	Prestación por desempleo
Muerte del cónyuge	Fallecimiento	Pérdida de ingresos	Prestación de viudedad
Accidente	Lesión corporal ocurrida en el trabajo	Pérdida de ingresos e incremento de gastos	Prestación de asistencia sanitaria. Prestación de recuperación profesional. Prestación de incapacidad temporal.
Vejez	Cumplimiento de edad (65 años generalmente)	Pérdida de ingresos	Pensión de jubilación

1.2. Enumeración

La acción protectora del sistema de la Seguridad Social comprenderá:

ASISTENCIA SANITARIA	La **asistencia sanitaria** en los casos de maternidad, enfermedad común o profesional y accidentes, sean o no de trabajo.
RECUPERACIÓN PROFESIONAL	La **recuperación profesional** cuya procedencia se aprecie en cualquiera de los casos que se mencionan en el apartado anterior.
PRESTACIONES ECONÓMICAS	**Prestaciones económicas** para las situaciones de: ■ Incapacidad temporal. ■ Nacimiento y cuidado de menor; riesgo durante el embarazo; riesgo durante la lactancia natural; ejercicio corresponsable del cuidado del lactante; cuidado de menores afectados por cáncer u otra enfermedad grave. ■ **Incapacidad permanente** contributiva e **incapacidad** no contributiva. ■ **Jubilación**, en sus modalidades contributiva y no contributiva. ■ **Desempleo**, en sus niveles contributivo y asistencial, así como prestación por **Cese de actividad**. ■ Muerte y supervivencia. ■ Las que se otorguen en las contingencias y situaciones especiales que reglamentariamente se determinen.
PRESTACIONES FAMILIARES	**Prestaciones familiares** de la Seguridad Social, en sus modalidades contributiva y no contributiva. En la actualidad, todas las prestaciones familiares económicas son no contributivas.
PRESTACIONES DE SERVICIOS SOCIALES	Las prestaciones de **servicios sociales** que puedan establecerse en materia de reeducación y rehabilitación de personas con discapacidad y de asistencia a la tercera edad, así como en aquellas otras materias en que se considere conveniente.
BENEFICIOS ASISTENCIA SOCIAL	Igualmente, y como complemento de las prestaciones comprendidas en el apartado anterior, podrán otorgarse los beneficios de la **asistencia social.**

Hay que tener en cuenta que, sin perjuicio de las competencias ejercidas en materia de asistencia social por las Comunidades Autónomas, el Real Decreto Ley 20/2020, de 29 de mayo, ha aprobado el **Ingreso Mínimo Vital**, que ha sido configurado como una prestación económica del nivel no contributivo de la Seguridad Social. Actualmente está regulado en la Ley 19/2021, de 20 de diciembre, y ya se ha creado la Comisión de Seguimiento del Ingreso Mínimo Vital, regulada en el Real Decreto 64/2022, de 25 de enero.

Sobre la base del ejercicio que hemos realizado anteriormente, veamos ahora qué tipo de prestación puede corresponder, si se dan los requisitos necesarios, a un trabajador en cada una de las situaciones descritas:

CONTINGENCIA	TIPO DE PRESTACIÓN
Un trabajador adopta un niño de 3 años	?
Una trabajadora tiene un embarazo de riesgo, incompatible con su trabajo	?
Un trabajador cumple 65 años y deja de trabajar	?
Una trabajadora sufre un accidente de tráfico cuando se dirigía a su trabajo	?
Un trabajador contrae la gripe	?
Una trabajadora, casada y con un hijo de 2 años, muere en un accidente doméstico	?
Un trabajador resulta herido por una máquina en su trabajo, quedando incapacitado para trabajar de modo definitivo	?
Una trabajadora tiene un hijo de 7 años afectado por un melanoma, ingresado por un largo periodo de tiempo en un hospital	?

Veamos ahora las soluciones:

CONTINGENCIA	TIPO DE PRESTACIÓN
Un trabajador adopta un niño de 3 años	*Subsidio por nacimiento y cuidado del menor*
Una trabajadora tiene un embarazo de riesgo, incompatible con su trabajo	*Subsidio de riesgo durante el embarazo*
Un trabajador cumple 65 años y deja de trabajar	*Pensión de jubilación*
Una trabajadora sufre un accidente de tráfico cuando se dirigía a su trabajo	*Subsidio de incapacidad temporal*
Un trabajador contrae la gripe	*Subsidio de incapacidad temporal*
Una trabajadora, casada y con un hijo de 2 años, muere en un accidente doméstico	*Pensiones de viudedad y orfandad*
Un trabajador resulta herido por una máquina en su trabajo, quedando incapacitado para trabajar de modo definitivo	*Pensión de incapacidad permanente*
Una trabajadora tiene un hijo de 7 años afectado por un melanoma, ingresado por un largo periodo de tiempo en un hospital	*Cuidado de menores afectados por cáncer u otra enfermedad grave*

1.3. Características de las prestaciones

Las prestaciones que conforman la acción protectora del Sistema de Seguridad Social presentan los siguientes caracteres básicos:

❑ Las prestaciones de la Seguridad Social, así como los beneficios de sus servicios sociales y de la asistencia social, no podrán ser objeto de retención salvo:

a) Para el cumplimiento de las obligaciones alimenticias a favor del cónyuge e hijos.

b) Cuando se trate de obligaciones contraídas por el beneficiario dentro de la Seguridad Social.

❑ En materia de embargo se estará a lo establecido en la Ley 1/2000, de 7 de enero, de Enjuiciamiento Civil (LEC).

❑ Las percepciones derivadas de la acción protectora de la Seguridad Social estarán sujetas o no a tributación en los términos establecidos en las normas reguladoras de cada impuesto. Como regla general, las prestaciones por desempleo y las prestaciones de la Seguridad Social son consideradas rentas del trabajo (artículo 17.2 de la Ley 35/2006, de 28 de noviembre, del Impuesto sobre la Renta de las Personas Físicas) y, por lo tanto, tributan, salvo aquellas que están expresamente exentas de tributación como, por ejemplo, las pensiones de incapacidad permanente absoluta y las de gran incapacidad (artículo 7 de la Ley 35/2006).

❑ No podrá ser exigida ninguna tasa fiscal, ni derecho de ninguna clase, en cuantas informaciones o certificaciones hayan de facilitar los correspondientes organismos de la Administración de la Seguridad Social.

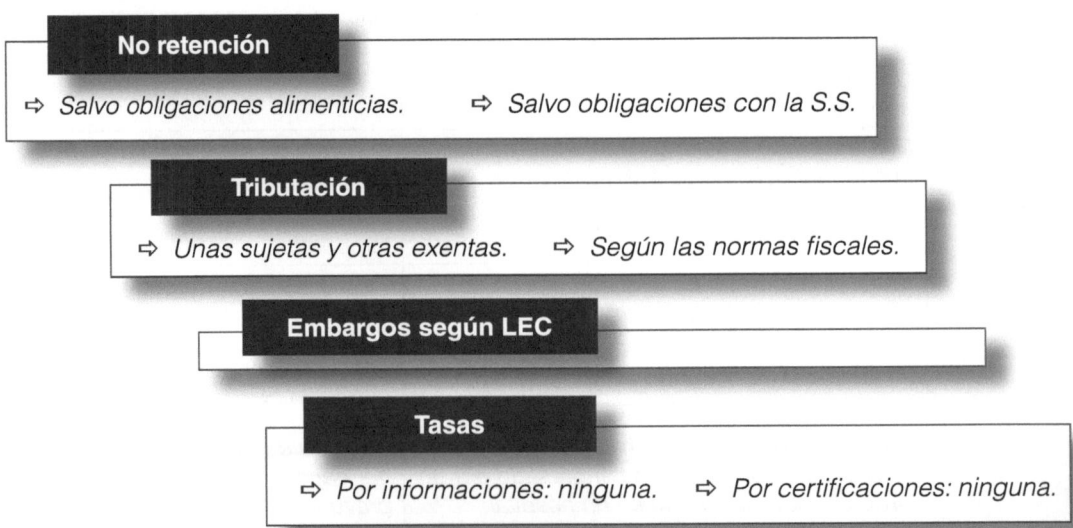

No retención
⇨ *Salvo obligaciones alimenticias.*   ⇨ *Salvo obligaciones con la S.S.*

Tributación
⇨ *Unas sujetas y otras exentas.*   ⇨ *Según las normas fiscales.*

Embargos según LEC

Tasas
⇨ *Por informaciones: ninguna.*   ⇨ *Por certificaciones: ninguna.*

1.4. Clasificaciones

Las prestaciones admiten una gran cantidad de clasificaciones, atendiendo a distintos criterios. Para facilitar la comprensión global de la materia y permitir una mejor definición de cada una de las prestaciones podemos plantear las siguientes clasificaciones:

1.4.1. Por sus efectos

❏ Preventivas.

  ◆ Ejemplo: asistencia sanitaria preventiva.

❏ Reparadoras.

  ◆ Ejemplo: prestación económica por desempleo.

❏ Rehabilitadoras.

  ◆ Ejemplo: rehabilitación profesional, que es una prestación asistencial cuya finalidad es la recuperación del estado de salud de la persona que ha sufrido lesiones que han limitado su capacidad funcional. Esta prestación se da en los casos de maternidad, enfermedad común o profesional y de accidentes, sean o no de trabajo.

1.4.2. Por su naturaleza

❏ Sanitarias.

  ◆ Ejemplo: asistencia sanitaria.

❏ Económicas.

  ◆ Ejemplo: pensión de jubilación.

1.4.3. Por su duración

❏ Pensión: periódica-vitalicia-substitutiva de rentas del trabajo.

  ◆ Ejemplo: pensión de viudedad.

❏ Subsidio: periódico-temporal-substitutivo de rentas del trabajo.

  ◆ Ejemplo: subsidio por nacimiento y cuidado de menor.

❑ Asignación: periódica-temporal-compensa cargas.

♦ Ejemplo: asignación económica por hijo a cargo.

❑ Indemnización: pago único-compensa gastos o daños.

♦ Ejemplo: auxilio por defunción.

1.4.4. Por la percepción

❑ Pago directo.

♦ Ejemplo: subsidio por riesgo durante la lactancia natural.

❑ Pago delegado.

♦ Ejemplo: prestación de incapacidad temporal.

1.4.5. Por el título

❑ Derecho propio.

♦ Ejemplo: pensión de incapacidad permanente absoluta.

❑ Derecho derivado.

♦ Ejemplo: pensión de orfandad.

1.4.6. Por la financiación

❑ Contributivas: financiadas con cuotas. Sus cuantías no son uniformes y dependen normalmente del historial de cotización del beneficiario (importe de las bases de cotización y periodo cotizado).

♦ Ejemplo: subsidio por cuidado de menores afectados por cáncer u otra enfermedad grave.

❑ No contributivas: financiadas con cargo a los Presupuestos Generales del Estado. Sus cuantías son uniformes y, en todo caso, varían en función de la situación económica y/o familiar del beneficiario (por ejemplo, la pensión no contributiva de incapacidad).

CUADRO RESUMEN CLASIFICACIONES				
Por sus efectos	Preventivas.	**Por su duración**	Subsidio: periódico-temporal-substitutivo de rentas del trabajo.	
	Reparadoras.		Asignación: periódica-temporal-compensa cargas.	
	Rehabilitadoras.		Indemnización: pago único-compensa gastos o daños.	
Por su naturaleza	Sanitarias.	**Por la percepción**	Pago directo.	
	Económicas.		Pago delegado.	
Por el título	Derecho propio.	**Por la financiación**	Contributivas: financiadas con cuotas.	
	Derecho derivado.		No contributivas: financiadas con cargo a los Presupuestos Generales del Estado.	

De acuerdo con lo establecido en el artículo 109 del TRLGSS, a los efectos de su financiación, la naturaleza de las prestaciones de la Seguridad Social será la siguiente:

a) Tienen naturaleza contributiva:

♦ Las prestaciones económicas de la Seguridad Social, con excepción de las que enumeraremos en la letra b).

♦ La totalidad de las prestaciones derivadas de las contingencias de accidentes de trabajo y enfermedades profesionales.

b) Tienen naturaleza no contributiva:

♦ Las prestaciones y servicios de asistencia sanitaria incluidos en la acción protectora de la Seguridad Social y los correspondientes a los servicios sociales, salvo que se deriven de accidentes de trabajo y enfermedades profesionales.

♦ Las pensiones no contributivas por incapacidad y jubilación.

♦ Los complementos a mínimos de las pensiones de la Seguridad Social. Los complementos a mínimos son los importes necesarios para alcanzar las cuantías mínimas de las pensiones establecidas anualmente, siempre que no se supere el límite de rentas fijado.

♦ Las prestaciones familiares.

♦ El subsidio por nacimiento y cuidado de menor regulado en los artículos 181 y 182 del TRLGSS.

♦ El ingreso mínimo vital.

 *Realizaremos a continuación un ejercicio de comprensión, indicando si las frases siguientes son verdaderas o falsas:*

	VERDADERO	FALSO
La pensión de jubilación es una prestación preventiva		
El subsidio por nacimiento y cuidado de menor es una prestación económica		
La prestación por desempleo es un subsidio		
El abono de la pensión de Incapacidad Permanente Total se realiza mediante pago delegado		
La pensión de orfandad es una prestación de derecho propio		
La pensión no contributiva de jubilación se financia mediante cuotas		

 *Veamos a continuación la solución:*

	VERDADERO	FALSO
La pensión de jubilación es una prestación preventiva		X
El subsidio por nacimiento y cuidado de menor es una prestación económica	X	
La prestación por desempleo es un subsidio	X	
El abono de la pensión de Incapacidad Permanente Total se realiza mediante pago delegado		X
La pensión de orfandad es una prestación de derecho propio		X
La pensión no contributiva de jubilación se financia mediante cuotas		X

1.5. Condiciones generales de acceso a la acción protectora

Las personas incluidas en el campo de aplicación del Régimen General causarán derecho a las prestaciones del mismo cuando, además de los requisitos particulares exigidos para la respectiva prestación, reúnan los siguientes:

- ❑ **Estar afiliadas.**

- ❑ **Estar en alta o en situación asimilada al alta**, en el momento en que se produzca la contingencia o situación protegida.

A estos efectos, hay que tener en cuenta que el alta de pleno derecho supone, en todo caso, la exención del requisito de alta real. El trabajador será considerado en situación de alta de pleno derecho –también conocida como "alta presunta"– cuando, a pesar de no hallarse en situación de alta real por incumplimiento empresarial, trabaje y necesite acción protectora en los siguientes ámbitos:

♦ Desempleo.

♦ Asistencia sanitaria derivada de contingencia común.

♦ Toda la acción protectora derivada de accidente de trabajo o enfermedad profesional.

Veamos un ejemplo que nos permita comprender cómo opera la llamada alta de pleno derecho o alta presunta:

Un trabajador prestaba servicios como mecánico para una empresa dedicada a la reparación de vehículos de motor. La empresa no había comunicado el alta del trabajador en el régimen general de la Seguridad Social, por lo que el trabajador se halla trabajando sin alta "real". Ese trabajador sufre un accidente de trabajo y como consecuencia del mismo queda incapacitado permanentemente para todo trabajo.

¿Tendrá derecho a percibir la correspondiente pensión de incapacidad permanente, a pesar de no hallarse en alta en Seguridad Social en el momento del accidente?

La respuesta es que sí. Se le reconocerá y abonará la pensión, puesto que al tratarse de un accidente de trabajo, se considera siempre al trabajador en alta de pleno derecho.

No obstante, la empresa deberá responder por ese incumplimiento y será responsable del abono de esa prestación, sin perjuicio de las sanciones que puedan ser impuestas por la Inspección de Trabajo y Seguridad Social.

Por otra parte, las situaciones **asimiladas al alta** son casos en los que, no siendo posible conceder o mantener el alta en la Seguridad Social por no concurrir los requisitos del alta –normalmente el de actividad laboral– se proporciona al trabajador cierta protección, variable en cada caso. Estas situaciones presentan una gran casuística, tanto en relación a sus supuestos como a sus efectos. Están reguladas en el artículo 166 del TRLGSS y en el artículo 36 del Reglamento General de Inscripción y Afiliación (RD 84/1996), destacando las siguientes:

1.	La situación legal de desempleo, total y subsidiado, y la de paro involuntario una vez agotada la prestación, contributiva o asistencial, siempre que en tal situación se mantenga la inscripción como desempleado en la oficina de empleo.

2. La excedencia forzosa.

3. La situación de excedencia para el cuidado de hijos con reserva de puesto de trabajo, de acuerdo con la legislación aplicable.

4. La suspensión del contrato de trabajo por servicio militar o prestación social sustitutoria. Recordemos que el Real Decreto 247/2001, de 9 de marzo, suspendió el servicio militar obligatorio a partir de 31 de diciembre de 2001.

5. El traslado del trabajador por la empresa fuera del territorio nacional.

6. La suscripción de convenio especial en sus diferentes tipos.

7. Los períodos de inactividad entre trabajos de temporada.

8. Los períodos de prisión sufridos como consecuencia de los supuestos contemplados en la Ley 46/1977, de 15 de octubre, de Amnistía, en los términos regulados en la Ley 18/1984, de 8 de junio.

9. La situación de aquellos trabajadores que no se encuentren en alta ni en ninguna otra de las situaciones asimiladas a la misma, después de haber prestado servicios en puestos de trabajo que ofrecieran riesgo de enfermedad profesional y a los solos efectos de que pueda declararse una incapacidad permanente debida a dicha contingencia.

10. Para los colectivos de artistas y de profesionales taurinos, los días que resulten cotizados por aplicación de las normas que regulan su cotización, los cuales tendrán la consideración de días cotizados y en situación de alta aunque no se correspondan con los de prestación de servicios.

11. A los solos efectos de conservación del derecho a la asistencia sanitaria, la situación de baja de los trabajadores por cuenta ajena incluidos en el Régimen de la Seguridad Social que corresponda, habiendo permanecido o no en situación de alta en dicho Régimen durante un período mínimo de noventa días dentro de los trescientos sesenta y cinco días naturales inmediatamente anteriores al de la baja, conforme a los términos que para cada caso establece el artículo 6 del Decreto 2766/1967, de 16 de noviembre, en la redacción dada al mismo por el Decreto 3313/1970, de 12 de noviembre.

12. Igualmente, a los solos efectos de asistencia sanitaria, la situación de los trabajadores despedidos, incluidos en el correspondiente Régimen de la Seguridad Social, que tengan pendiente de resolución ante la jurisdicción laboral demanda por despido improcedente o nulo.

13. A los efectos de la protección por desempleo, las situaciones determinadas en el artículo 2 del Real Decreto 625/1985, de 2 de abril, o en las normas específicas que regulen dicha cobertura.

14. En el Régimen Especial Agrario, la situación de desplazamiento al extranjero por razón de trabajo, en los términos regulados en el artículo 71 del Decreto 3772/1972, de 23 de diciembre.

15. En el Régimen Especial de Trabajadores por Cuenta Propia o Autónomos, el período de los noventa días naturales siguientes al último día del mes en que se produzca la baja en dicho Régimen.

16. Los períodos de percepción de ayudas e indemnizaciones por cese anticipado en la actividad agraria previstos en el Real Decreto 5/2001, de 12 de enero, por el que se establece un régimen de ayudas destinadas a fomentar el cese anticipado en la actividad agraria.

Veamos nuevamente otro ejemplo que nos permita consolidar el concepto de situación asimilada al alta.

Un trabajador finaliza su contrato de trabajo y queda desempleado. Solicita la prestación por desempleo y la Agencia Española de Empleo se la reconoce. Durante la percepción de la prestación por desempleo, el trabajador contrae una enfermedad vírica y solicita el subsidio por incapacidad temporal.

¿Tendrá derecho al subsidio por IT a pesar de que no se halla trabajando y en alta?

Nuevamente la respuesta es que sí tiene derecho, puesto que durante la percepción de la prestación por desempleo total el trabajador se halla en situación asimilada al alta, lo que le permite cumplir el requisito del alta para percibir la prestación de incapacidad temporal.

❑ En las prestaciones cuyo reconocimiento o cuantía esté subordinada, además, al **cumplimiento de determinados períodos de cotización** (el periodo exigido en cada caso se denomina "carencia"), solamente serán computables las cotizaciones efectivamente realizadas o las expresamente asimiladas a ellas en el TRLGSS o en sus disposiciones reglamentarias.

También serán computables a efectos de los distintos períodos previos de cotización exigidos para el derecho a las prestaciones, las cuotas correspondientes a las situaciones de incapacidad temporal, de nacimiento y cuidado de menor, de riesgo durante el embarazo o de riesgo durante la lactancia natural. Sin embargo, con carácter general no se exigirán períodos previos de cotización para el derecho a las prestaciones que se deriven de accidente, sea o no de trabajo, o de enfermedad profesional, salvo disposición legal expresa en contrario.

❑ La Ley Orgánica 1/2004, de 28 de diciembre, de Medidas de Protección Integral contra la Violencia de Género, ha establecido que el período de suspensión con re-

serva del puesto de trabajo, contemplado en el artículo 48.6 del texto refundido de la Ley del Estatuto de los Trabajadores (TRLET) aprobado por Real Decreto Legislativo 2/2015, de 23 de octubre (supuesto en que la trabajadora se vea obligada a abandonar su puesto de trabajo como consecuencia de ser víctima de violencia de género), tendrá la consideración de período de cotización efectiva a efectos de las correspondientes prestaciones de la Seguridad Social por jubilación, incapacidad permanente, muerte o supervivencia, nacimiento y cuidado de menor y desempleo.

❑ Hay que tener en cuenta también que el periodo por nacimiento y cuidado de menor que subsista a la fecha de extinción del contrato de trabajo, o que se inicie durante la percepción de la prestación por desempleo, será considerado como período de cotización efectiva a efectos de las correspondientes prestaciones de la Seguridad Social por jubilación, incapacidad permanente, muerte y supervivencia y nacimiento y cuidado de menor.

Hay que señalar sobre este asunto del acceso a la acción protectora, por último, que además de estas condiciones generales, cada una de las prestaciones presenta sus propias condiciones particulares, que iremos analizando más adelante. En todo caso, conviene resaltar que, desde la Ley 26/1985, conocida como "Ley de pensiones", se ha venido produciendo una atenuación del requisito del alta, de modo que en la actualidad hay un notable número de supuestos en los que se puede acceder a distintas pensiones desde situación de no alta, siempre y cuando se cumplan la totalidad de requisitos exigidos en cada caso. El ejemplo más característico es la pensión de jubilación.

Veamos un nuevo ejemplo para apreciar el modo en que opera este requisito de cotización previa, que también denominamos "carencia".

Un trabajador alcanza la edad de 66 años y diez meses en marzo de 2026, en el momento en que está trabajando en un bar como camarero. Ha trabajado, durante toda su vida laboral, un total de 12 años y desea que le sea reconocida la pensión de jubilación.

¿Tendrá este trabajador derecho a la pensión de jubilación?

En este caso la respuesta es que no tendrá derecho a la pensión de jubilación, puesto que el texto refundido de la Ley General de la Seguridad Social exige, para que pueda ser reconocida esta prestación, la acreditación de una cotización durante toda la vida laboral de al menos 15 años. Esto es lo que denominamos "carencia genérica" de la jubilación, ya que en este caso, además, se exige que al menos 2 años estén cotizados dentro de los 15 anteriores al momento en que el trabajador quiere jubilarse. A este último requisito lo denominamos "carencia específica".

1.6. Responsabilidad en orden a las prestaciones

En condiciones normales, y por el principio de aseguramiento (el trabajador está asegurado y empresario y trabajador cotizan correctamente a la Seguridad Social) corresponderá a la Entidad Gestora o a la Mutua Colaboradora con la Seguridad Social (MCSS) correspondiente, cuando se deriven de contingencias que estén cubiertas por estas Mutuas (accidentes de trabajo, enfermedades profesionales, o contingencias comunes en el caso de la incapacidad temporal). No obstante, el incumplimiento de las obligaciones en materia de afiliación, alta, baja y cotización determinará la exigencia de responsabilidad en cuanto al pago de las prestaciones al empresario, si bien la Entidad Gestora podrá anticipar el pago de las prestaciones en los supuestos previstos legalmente, sin que el anticipo pueda exceder de una cantidad equivalente a dos veces y media el importe del Indicador Público de Renta de Efectos Múltiples -cuyo importe mensual ha sido fijado en 600,00 euros por la Disposición Adicional 90ª de la Ley 31/2022, de 23 de diciembre- tal como establece el artículo 167.3 del TRLGSS.

Existen supuestos especiales de responsabilidad en los siguientes casos, recogidos en el artículo 168 del TRLGSS:

❑ El propietario de la obra o industria responde subsidiariamente de las obligaciones del empresario en esta materia si este fuera declarado insolvente, salvo que se trate de reparaciones que el titular de un hogar contrató respecto a su propia vivienda. Esta responsabilidad es solidaria si se trata de contratas y subcontratas de obras y servicios correspondientes a la propia actividad del empresario contratante, en los términos establecidos en el art. 42 del TRLET.

❑ En los casos de sucesión de empresa, el adquirente responde solidariamente del pago de las prestaciones causadas antes de dicha sucesión (art. 44 del TRLET).

❑ En los supuestos de cesión ilegal de mano de obra, cedente y cesionario responden también solidariamente de las obligaciones contraídas con los trabajadores y con la Seguridad Social; la cesión de trabajadores solo podrá efectuarse a través de Empresas de Trabajo Temporal debidamente autorizadas en los términos previstos en el art. 43 del TRLET en relación con la Ley 14/1994, de 1 de junio, por la que se regulan las Empresas de Trabajo Temporal, y Real Decreto 417/2015, de 29 de mayo, que la desarrolla.

Veamos un cuadro-resumen de estos supuestos de responsabilidad:

	Propietario de la obra y contratistas	Sucesión de empresa	Cesión ilícita de mano de obra	Contratas de obras misma actividad
Responsabilidad	Subsidiaria [1]	Solidaria [2]	Solidaria [2]	Solidaria [2]

(1) El responsable subsidiario deberá hacer frente a la deuda del principal únicamente en caso de que este devenga insolvente.

(2) Ambos deudores responden de la totalidad de la deuda, pudiendo el acreedor dirigirse a cualquiera de ellos indistintamente.

Veamos ahora la diferencia entre los distintos tipos de responsabilidad derivada:

RESPONSABILIDAD SUBSIDIARIA	RESPONSABILIDAD SOLIDARIA
El responsable subsidiario responde única- mente ante el supuesto de insolvencia del responsable principal	Todos los responsables responden completa e indistintamente

Una empresa constructora está llevando a cabo la construcción de una nave industrial. Para la colocación de mamparas y techos contrata con otra empresa constructora, resultando que uno de los trabajadores de esta contratista, que no estaba dado de alta, sufre un accidente de trabajo y queda incapacitado para todo trabajo.

¿Tendrá alguna responsabilidad la empresa principal por estos hechos, respecto de la prestación a que pueda tener derecho ese trabajador de la empresa contratista?

La respuesta es que la empresa principal responderá solidariamente, ya que tiene la misma actividad que la contratista, de las cantidades que le sean exigidas a la empresa contratista por el pago de la prestación a que tenga derecho ese trabajador, puesto que la empresa contratista incumplió con la obligación de dar de alta al trabajador en la Seguridad Social.

1.7. Aspectos procedimentales

Finalizaremos el primer epígrafe dedicado a la configuración general de la acción protectora con los aspectos procedimentales, teniendo en cuenta que la Resolución del INSS de 5 de marzo de 2024 determina las prestaciones del Sistema de Seguridad Social cuya resolución se podrá adoptar de forma automatizada.

La dinámica y el procedimiento de reconocimiento de cada una de las prestaciones del Sistema de Seguridad Social se encuentran establecidos en su normativa específica. No obstante, por lo que se refiere a los **plazos** para la resolución y notificación en los procedimientos administrativos de reconocimiento del derecho a las prestaciones, regulados en el Real Decreto 286/2003, de 7 de marzo, podemos verlos de manera sintética en el siguiente cuadro:

PLAZO MÁXIMO DE RESOLUCIÓN Y NOTIFICACIÓN EN LOS PROCEDIMIENTOS	
Denominación del procedimiento	**Plazo (días)**
Pensión de jubilación en su modalidad contributiva y pensión de vejez del Seguro Obligatorio de Vejez e Invalidez (SOVI)	90
Prestaciones de incapacidad permanente, sus revisiones, lesiones permanentes no incapacitantes e invalidez SOVI	135

PLAZO MÁXIMO DE RESOLUCIÓN Y NOTIFICACIÓN EN LOS PROCEDIMIENTOS	
Denominación del procedimiento	Plazo (días)
Prestaciones de muerte y supervivencia y viudedad SOVI	90
Recargos de las prestaciones económicas en caso de accidente de trabajo y enfermedad profesional	135
Prestaciones por incapacidad temporal (pago directo)	30
Prestaciones por nacimiento y cuidado de menor	30
Prestaciones por riesgo durante el embarazo	30
Asignaciones económicas familiares por hijo a cargo	45
Prestación económica por nacimiento de hijo	45
Prestación económica por parto múltiple	45
Reconocimiento del derecho a la asistencia sanitaria	1
Asistencia sanitaria en desplazamientos al extranjero	45
Revisión de oficio de actos declarativos de derechos	135
Reconocimiento de prestaciones devengadas y no percibidas	30
Prestaciones otorgadas por el seguro escolar	90
Pensiones de incapacidad, en su modalidad no contributiva	90
Pensiones de jubilación, en su modalidad no contributiva	90
Prestaciones sanitarias complementarias. Régimen Especial del Mar	90
Reintegro de gastos por asistencia sanitaria prestada con medios ajenos a la Seguridad Social. Régimen Especial del Mar	90
Reintegro de gastos por asistencia sanitaria a trabajadores en el extranjero. Régimen Especial del Mar	90
Abono de gastos por desplazamiento y dietas por traslado de enfermos. Régimen Especial del Mar	90
Prestaciones amparadas en la normativa comunitaria europea o en normas de convenios bilaterales, tratados o acuerdos internacionales	180

2. Rentas de referencia en el cálculo de determinadas prestaciones

La actualización de las cuantías de determinadas prestaciones, así como la fijación de límites para los beneficiarios de las mismas o para las rentas familiares que pueden dar acceso o no a la acción protectora de la Seguridad Social en determinados supuestos ha provocado la necesidad de utilizar referentes de cálculo que deben cumplir al menos los siguientes requisitos:

❑ Deben ser oficiales, como presupuesto básico de garantía.

❑ Deben ser públicos, de modo que permita a todos los interesados y afectados su conocimiento en cada momento.

❑ Deben ser revisables, permitiendo así la actualización de las propias cuantías sobre las que se referencian.

❑ Deben ser universales, de modo que no existan diferencias en su cálculo en todos los territorios del Estado.

❑ En la actualidad, esos dos referentes son los siguientes:

◆ El Salario Mínimo Interprofesional (SMI).

◆ El Indicador Público de Rentas de Efectos Múltiples (IPREM).

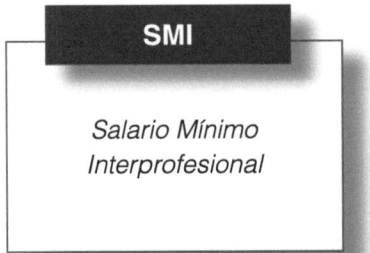

En un primer momento el Salario Mínimo Interprofesional fue el único referente para toda la acción protectora del Sistema de Seguridad Social, así como en otros ámbitos muy diversos. De este modo, y a pesar de que resultaba un índice especialmente válido para la determinación de los límites que se pretendía, lo cierto es que el hecho de que el alcance mismo de la acción protectora o el derecho a su acceso dependieran de la cuantía que anualmente fijaba el Gobierno para ese SMI lo lastraba de modo que impedía un desarrollo adecuado de sus cuantías para su verdadera finalidad, que no era otra que la de establecer el umbral mínimo de las rentas salariales para toda profesión u oficio, sirviendo así de referente básico imposible de reducir por convenio colectivo o contrato de trabajo.

El salario mínimo interprofesional está regulado en el artículo 27 del TRLET. De acuerdo con lo establecido en este precepto, el Gobierno fijará el salario mínimo interprofesional, previa consulta con las organizaciones sindicales y asociaciones empresariales más representativas, anualmente (si bien se prevé una revisión semestral para el caso de que no se cumplan las previsiones sobre el índice de precios), teniendo en cuenta:

a) El índice de precios al consumo.

b) La productividad media nacional alcanzada.

c) El incremento de la participación del trabajo en la renta nacional.

d) La coyuntura económica general.

Para garantizar las mejoras salariales que los trabajadores pudieran tener por convenio colectivo o en sus contratos de trabajo, se establece que la revisión del salario mínimo interprofesional no afectará a la estructura ni a la cuantía de los salarios profesionales cuando estos, en su conjunto y cómputo anual, fueran superiores a aquél. Finalmente, se determina que el salario mínimo interprofesional, en su cuantía, es inembargable, de modo que las cuantías que superen la del SMI serán embargables de acuerdo con lo previsto en el art. 607 de la Ley 1/2000, de 7 de enero, de Enjuiciamiento Civil, resultando para 2026 las siguientes cuantías embargables respecto del salario (teniendo en cuenta que, en función de las cargas familiares, el tribunal podrá rebajar entre un 10 a un 15% los porcentajes de los tramos 2° a 5°):

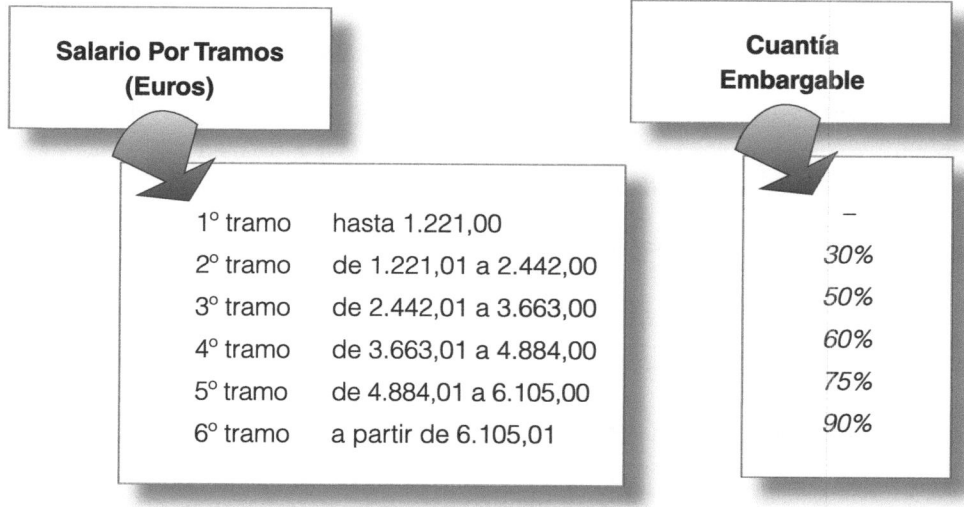

Salario Por Tramos (Euros)		Cuantía Embargable
1° tramo	hasta 1.221,00	–
2° tramo	de 1.221,01 a 2.442,00	30%
3° tramo	de 2.442,01 a 3.663,00	50%
4° tramo	de 3.663,01 a 4.884,00	60%
5° tramo	de 4.884,01 a 6.105,00	75%
6° tramo	a partir de 6.105,01	90%

El Real Decreto 126/2026, de 18 de febrero,, ha fijado el salario mínimo interprofesional para 2026 en las siguientes cuantías:

❑ SMI (art. 1 RD 126/2026)

40,70 euros diarios.

1.221,00 euros mensuales.

17.094,00 euros anuales.

A los salarios mínimos indicados se adicionarán, sirviendo los mismos como módulo de cálculo y a tenor de lo dispuesto en los distintos convenios colectivos o normas sectoriales, los complementos salariales a que se refiere el art. 26.3 del TRLET, así como el importe correspondiente al incremento garantizado sobre el salario a tiempo en la remuneración a prima o con incentivo de producción.

En cuanto a las personas trabajadoras con contratos de trabajo de duración determinada cuyos servicios a una misma empresa no excedan de ciento veinte días, percibirán, junto con el salario mínimo referido, la parte proporcional de domingos, festivos y gratificaciones extraordinarias (y vacaciones, cuando proceda), sin que en ningún caso la cuantía del salario profesional pueda ser inferior a 57,83 euros por jornada legal en la actividad, cualquiera que sea la edad del trabajador.

Finalmente, para los empleados de hogar que trabajen por horas, y tomando como módulo el de los eventuales y temporeros se establece un salario mínimo para dichos empleados de hogar de 9,55 euros por hora efectivamente trabajada.

Por otra parte, el Real Decreto-Ley 3/2004, de 25 de junio, desvincula el SMI de otros efectos distintos de los laborales, estableciendo para las restantes áreas un **Indicador Público de Rentas de Efectos Múltiples (IPREM)** por el que se regirán todas las referencias normativas realizadas al salario mínimo interprofesional con efectos distintos de los laborales. Así pues, cualquier referencia al salario mínimo interprofesional, en normas anteriores al Real Decreto-Ley 3/2004 debe entenderse referida al IPREM, salvo que se trate de normas laborales de acuerdo con la relación que aparece en el artículo 1.2 de esta norma. Las cuantías fijadas en la Ley 31/2022, de 23 de diciembre, son las siguientes:

❑ IPREM (D.A. 90ª Ley 31/2022)

20,00 euros diarios.

600,00 euros mensuales.

7.200,00 euros anuales (si la norma lo refiere a 14 pagas, serán 8.400,00 euros anuales).

De acuerdo con lo establecido en el Real Decreto-Ley 3/2004, el SMI únicamente quedará como referente de rentas para unos supuestos tasados, resultando aplicable en el resto de casos el IPREM. Estos supuestos tasados son los siguientes:

a) El salario del trabajador en los términos y condiciones establecidos en las normas reguladoras de las relaciones laborales de carácter especial a que se refiere el artículo 2 del TRLET.

b) La retribución del trabajador contratado para la formación, en los términos del artículo 11.2 del TRLET.

c) Las garantías, privilegios y preferencias del salario establecidas en el artículo 32 del TRLET, así como en la legislación procesal civil y en la legislación concursal.

d) Los límites de la responsabilidad del Fondo de Garantía Salarial, en los términos del artículo 33 del TRLET.

e) El salario correspondiente a una colocación para que esta sea considerada adecuada a los efectos de la protección por desempleo, según lo dispuesto en el último párrafo del artículo 301 del TRLGSS.

f) La cuantía máxima del anticipo al que tiene derecho el trabajador que haya obtenido a su favor una sentencia en la que se condene al empresario al pago de una cantidad y contra la que se haya interpuesto recurso, conforme a lo establecido en el artículo 289.3 de la vigente Ley 36/2011, de 10 de octubre, reguladora de la Jurisdicción Social (LJS).

g) El importe de la garantía financiera que deben constituir las empresas de trabajo temporal, en los términos establecidos en el art. 3 de la Ley 14/1994, de 1 de junio, por la que se regulan las empresas de trabajo temporal.

h) Los límites de referencia de las compensaciones mínimas que corresponden a los socios de trabajo y a los socios de las cooperativas de explotación comunitaria de la tierra, en los términos establecidos, respectivamente, en los artículos 13.4 y 97.5 de la Ley 27/1999, de 16 de julio, de Cooperativas.

i) La retribución de los trabajadores declarados en situación de incapacidad permanente parcial que se reincorporen a la empresa, en los términos establecidos en el artículo 1 del Real Decreto 1451/1983, de 11 de mayo, por el que, en cumplimiento de lo previsto en la entonces vigente Ley 13/1982, de 7 de abril, se regula el empleo selectivo y las medidas de fomento del empleo de los trabajadores con discapacidad.

j) La cuantía de la subvención de los costes salariales correspondientes a los puestos de trabajo ocupados por los trabajadores con discapacidad que presten servicios en los centros especiales de empleo, conforme a lo previsto en la Orden del entonces Ministerio de Trabajo y Asuntos Sociales, de 16 de octubre de 1998, por la que se establecen las bases reguladoras para la concesión de las ayudas y subvenciones públicas destinadas al fomento de la integración laboral de los trabajadores con discapacidad en centros especiales de empleo y trabajo autónomo.

k) La cuantía de la subvención de los costes salariales derivados de los contratos que se suscriban con los alumnos trabajadores en escuelas taller y casas de oficio, de acuerdo con la normativa reguladora de la materia.

l) Las bases mínimas de cotización en los regímenes de la Seguridad Social, según lo dispuesto en el artículo 19 del TRLGSS.

m) Los requisitos de acceso y, en su caso, mantenimiento de las pensiones de viudedad, orfandad, prestaciones en favor de familiares, prestaciones familiares y por nacimiento o adopción del tercer o sucesivos hijos, así como el importe de la prestación económica por parto o adopción múltiples, establecida en el artículo 360 del TRLGSS.

n) Los requisitos para el acceso y mantenimiento de las prestaciones que integran el sistema de protección por desempleo, en los términos que se determinan en el artículo 3.1 del propio Real Decreto-Ley 3/2004. En esta materia hay que señalar que, como tendremos ocasión de ver en esta propia Unidad, la regulación de la protección por desempleo contiene referencias principalmente al IPREM, si bien no de modo exclusivo.

Así pues, y para concluir, fuera de los casos reseñados o de aquellos en los que la normativa específica aplicable diga lo contrario, el índice de referencia común será el IPREM.

Un trabajador realiza una consulta sobre el importe del subsidio por desempleo que quiere solicitar. No le dicen una cantidad determinada, pero le informan que el importe de dicho subsidio es del 80% del IPREM vigente. Quiere saber cuál será ese importe mensual en enero de 2026.

Teniendo en cuenta que el IPREM mensual en enero de 2026 es de 600,00 euros y que el artículo 278 del TRLGSS establece el importe mensual del subsidio por desempleo en el 80% del IPREM, el importe de este subsidio será de 480,00 euros mensuales.

3. Asistencia sanitaria

La asistencia sanitaria es una prestación no económica de la Seguridad Social cuya finalidad es garantizar el derecho que los ciudadanos tienen a la salud y que reconoce nuestra Constitución en su artículo 43, que establece lo siguiente: *"Se reconoce el derecho a la protección de la salud. Compete a los poderes públicos organizar y tutelar la salud pública a través de medidas preventivas y de las prestaciones y servicios necesarios. La Ley establecerá los derechos y deberes de todos al respecto. Los poderes públicos fomentarán la educación sanitaria, la educación física y el deporte. Asimismo facilitarán la adecuada utilización del ocio".*

3.1. Normativa básica

La normativa básica reguladora de la asistencia sanitaria es la siguiente:

❑ *Ley 14/1986, de 25 de abril, General de Sanidad, modificada por la Ley 26/2011, de 1 de agosto, de adaptación normativa a la Convención Internacional sobre los Derechos de las Personas con Discapacidad y por la Ley Orgánica 3/2018, de 5 de diciembre, de Protección de Datos Personales y garantía de los derechos digitales.*

❑ *Ley 33/2011, de 4 de octubre, General de Salud Pública, en vigor desde el día 6 de octubre de 2012.*

❑ *Ley 16/2003, de 28 de mayo, de Cohesión y Calidad del Sistema Nacional del Salud.*

❑ *Real Decreto 1192/2012, de 3 de agosto, por el que se regula la condición de asegurado y de beneficiario a efectos de la asistencia sanitaria en España, con cargo a fondos públicos, a través del Sistema Nacional de Salud (en vigor desde el día 5 de agosto de 2012).*

❑ *Ley 41/2002, de 14 de noviembre, básica reguladora de la Autonomía del Paciente y de derechos y obligaciones en materia de información y documentación clínica (modificada por la Ley Orgánica 1/2023, de 28 de febrero).*

❑ *Real Decreto 1030/2006, de 15 de septiembre, por el que se establece la cartera de servicios del sistema Nacional de Salud y el procedimiento para su actualización. Esta norma ha sufrido numerosas modificaciones y desarrollos, el último de los cuales está constituido por la Orden SND/606/2024, de 13 de junio. La cartera de servicios comunes del Sistema Nacional de Salud es el conjunto de técnicas, tecnologías o procedimientos, entendiendo por tales cada uno de los métodos, actividades y recursos basados en el conocimiento y experimentación científica, mediante los que hacen efectivas las prestaciones sanitarias. Son las siguientes:*

✶ *Salud Pública.*

✶ *Atención primaria.*

✶ *Atención especializada.*

✶ *Atención de urgencia.*

✶ *Prestaciones farmacéuticas.*

✶ *Transporte sanitario.*

✶ *Prestaciones complementarias.*

✶ *Servicios de información y documentación sanitaria.*

✶ *Accidentes de trabajo y enfermedades profesionales.*

❑ *Real Decreto Legislativo 1/2015, de 24 de julio, por el que se aprueba el texto refundido de la Ley de garantías y uso racional de los medicamentos y productos sanitarios.*

❏ *Ley 7/2025, de 28 de julio, por la que se crea la Agencia Estatal de Salud Pública y se modifica la Ley 33/2011, de 4 de octubre, General de Salud Pública.*

❏ *A esta normativa general hay que añadir las normas propias de situaciones extraordinarias, como la derivada de la aparición de la* **COVID-19***. Las primeras fueron el Real Decreto Ley 6/2020, de 10 de marzo, por el que se adoptan determinadas medidas urgentes en el ámbito económico y para la protección de la salud pública, y el Real Decreto 463/2020, de 14 de marzo, por el que se declara el estado de alarma para la gestión de la situación de crisis sanitaria ocasionada por el COVID-19.*

La Ley 33/2011, de 4 de octubre, General de Salud Pública ha venido a establecer como principios generales de acción en salud pública los siguientes:

❏ **Principio de equidad:** *las políticas, planes y programas que tengan impacto en la salud de la población promoverán la disminución de las desigualdades sociales en salud e incorporarán acciones sobre sus condicionantes sociales, incluyendo objetivos específicos al respecto.*

❏ **Principio de salud:** *en todas las políticas.*

❏ **Conciliación:** *asimismo, las políticas públicas que incidan sobre la salud valorarán esta circunstancia conciliando sus objetivos con la protección y mejora de la salud.*

❏ **Principio de pertinencia:** *las actuaciones de salud pública atenderán a la magnitud de los problemas de salud que pretenden corregir, justificando su necesidad de acuerdo con los criterios de proporcionalidad, eficiencia y sostenibilidad.*

❏ **Principio de precaución:** *la existencia de indicios fundados de una posible afectación grave de la salud de la población, aun cuando hubiera incertidumbre científica sobre el carácter del riesgo, determinará la cesación, prohibición o limitación de la actividad sobre la que concurran.*

❏ **Principio de evaluación:** *las actuaciones de salud pública deben evaluarse en su funcionamiento y resultados, con una periodicidad acorde al carácter de la acción implantada.*

❏ **Principio de transparencia:**
  ✴ *Las actuaciones de salud pública deberán ser transparentes.*
  ✴ *La información sobre las mismas deberá ser clara, sencilla y comprensible para el conjunto de los ciudadanos.*

- ❑ **Principio de integridad:** *las actuaciones de salud pública deberán organizarse y desarrollarse dentro de la concepción integral del sistema sanitario.*
- ❑ **Principio de seguridad:** *las actuaciones en materia de salud pública se llevarán a cabo previa constatación de su seguridad en términos de salud.*

A diferencia de lo que ocurre con otras prestaciones, que se recogen en el vigente TRLGSS, la asistencia sanitaria todavía se recoge en la Ley General de la Seguridad Social de 30 de mayo de 1974, que continúa vigente para esta materia. En sus artículos 98 y siguientes desarrolla el contenido básico de esta prestación.

Recientemente, la Ley 7/2025, de 28 de julio, ha creado la Agencia Estatal de Salud Pública (AESAP), cuyos fines generales son los siguientes:

a) La vigilancia, identificación y evaluación del estado de salud de la población y sus determinantes, así como de los problemas, amenazas y riesgos en materia de salud pública, prestando especial atención a las desigualdades sociales.

b) La información y comunicación pública sobre la salud de la población y los riesgos que puedan afectarla.

c) La coordinación de actividades de preparación y respuesta ante crisis y emergencias sanitarias en línea con la Estrategia de Seguridad Nacional.

d) Facilitar la colaboración, cooperación e interacción entre los servicios de salud pública y los centros, servicios y establecimientos sanitarios de las comunidades autónomas y las Ciudades de Ceuta y Melilla .

e) El refuerzo de las capacidades, la orientación y soporte para el ejercicio de las actuaciones de salud pública de las Administraciones públicas y la sociedad civil, con especial atención a los determinantes sociales de la salud y las desigualdades sociales en salud.

f) La evaluación de los resultados en salud derivados de las prestaciones sanitarias, en colaboración con las comunidades autónomas.

g) Cualquier otra finalidad que se le asigne, de acuerdo con lo que prevea su Estatuto, sin perjuicio de las competencias en salud pública atribuidas a otras Administraciones públicas.

3.2. Régimen General

3.2.1. Contingencias cubiertas

Las contingencias cubiertas por las prestaciones de asistencia sanitaria son las siguientes:

- ❑ La enfermedad común o profesional.

- ❑ Las lesiones derivadas de accidente, cualquiera que sea su causa, laboral o no.

- ❑ La maternidad, el riesgo durante el embarazo y el riesgo durante la lactancia natural.

3.2.2. Titulares del derecho a la protección de la salud y a la asistencia sanitaria

Con carácter general, tendrán derecho a asistencia sanitaria los trabajadores afiliados y en alta o en situación asimilada a la de alta. De acuerdo con lo establecido en la Ley 16/2003, de 28 de mayo, de cohesión y calidad del Sistema Nacional de Salud -en la redacción dada a la misma por el Decreto-ley 7/2018, de 27 de julio- son titulares del derecho a la protección de la salud y a la atención sanitaria con cargo a fondos públicos -y tendrán la condición de asegurados a los efectos de lo establecido en las normas internacionales de coordinación de los sistemas de Seguridad Social, y el Texto Refundido de la Ley de garantías y uso racional de los medicamentos y productos sanitarios, aprobado por Real Decreto Legislativo 1/2015, de 24 de julio- todas las personas con nacionalidad española y las personas extranjeras que tengan establecida su residencia en el territorio español, siempre que se encuentren en alguno de los siguientes supuestos:

- **a)** Tener nacionalidad española y residencia habitual en el territorio español.

- **b)** Tener reconocido su derecho a la asistencia sanitaria en España por cualquier otro título jurídico, aun no teniendo su residencia habitual en territorio español, siempre que no exista un tercero obligado al pago de dicha asistencia.

- **c)** Ser persona extranjera y con residencia legal y habitual en el territorio español y no tener la obligación de acreditar la cobertura obligatoria de la prestación sanitaria por otra vía.

A los efectos de lo establecido en las normas internacionales de coordinación de los sistemas de Seguridad Social, y el Texto Refundido de la Ley de garantías y uso racional de los medicamentos y productos sanitarios, tendrán la condición de beneficiarios de los asegurados, el cónyuge o persona con análoga relación de afectividad, que deberá acreditar la inscripción oficial correspondiente, así como los descendientes y personas asimiladas a cargo del mismo que sean menores de 26 años o que tengan una discapacidad en grado igual o superior al 65%, siempre que cumplan todos los siguientes requisitos:

a)   Tengan su residencia legal y habitual en España, salvo que la misma no sea exigible en virtud de la norma internacional correspondiente, o que se trate de personas que se desplacen temporalmente a España y estén a cargo de trabajadores trasladados por su empresa fuera del territorio español en situación asimilada a la de alta en el correspondiente régimen de la Seguridad Social.

b)   No se encuentren en alguno de los siguientes supuestos de los regímenes de la Seguridad Social:

♦   Ser trabajador por cuenta ajena o por cuenta propia, afiliado y en situación de alta o asimilada a la de alta.

♦   Ostentar la condición de pensionista de dichos regímenes en su modalidad contributiva.

♦   Ser perceptor de cualquier otra prestación periódica de dichos regímenes.

Los organismos públicos que intervienen en este derecho a la protección de la salud y a la asistencia sanitaria son los siguientes:

❑   Los Ministerios de Sanidad e Inclusión, Seguridad Social y Migraciones, que lo reconocerá y controlará.

❑   El Instituto Nacional de la Seguridad Social se encargará de la gestión de los derechos de asistencia sanitaria derivados de normas internacionales de coordinación de los sistemas de Seguridad Social.

❑   El derecho se hará efectivo a las personas a través de las administraciones sanitarias competentes, como veremos, mediante la expedición de la tarjeta sanitaria individual, regulada en el Real Decreto 183/2004, de 20 de enero, modificado por el Real Decreto 922/2024, de 17 de septiembre.

En cuanto a las **personas extranjeras** no registradas ni autorizadas como residentes en España, tienen derecho a la protección de la salud y a la atención sanitaria en las mismas condiciones que las personas con nacionalidad española con cargo a los fondos públicos, siempre que cumplan todos los siguientes requisitos:

a)   No tener la obligación de acreditar la cobertura obligatoria de la prestación sanitaria por otra vía, en virtud de lo dispuesto en el derecho de la Unión Europea, los convenios bilaterales y demás normativa aplicable.

b)   No poder exportar el derecho de cobertura sanitaria desde su país de origen o procedencia.

c)   No existir un tercero obligado al pago.

3.2.3. Acceso al derecho

El acceso de los ciudadanos a las prestaciones de la atención sanitaria que proporciona el Sistema Nacional de Salud se facilitará a través de la tarjeta sanitaria individual, como documento administrativo que acredita determinados datos de su titular, a los que se refiere el apartado siguiente. La **tarjeta sanitaria individual** atenderá a los criterios establecidos con carácter general en la Unión Europea.

Sin perjuicio de su **gestión en el ámbito territorial respectivo por cada Comunidad Autónoma** y de la gestión unitaria que corresponda a otras Administraciones Públicas en razón de determinados colectivos, las tarjetas incluirán, de manera normalizada, los datos básicos de identificación del titular de la tarjeta, del derecho que le asiste en relación con la prestación farmacéutica y del servicio de salud o entidad responsable de la asistencia sanitaria. Los dispositivos que las tarjetas incorporen para almacenar la información básica y las aplicaciones que la traten deberán permitir que la lectura y comprobación de los datos sea técnicamente posible en todo el territorio del Estado y para todas las Administraciones Públicas. Para ello, el Ministerio competente en materia sanitaria, en colaboración con las Comunidades Autónomas y demás Administraciones Públicas competentes, establecerá los requisitos y los estándares necesarios.

La extinción del derecho se producirá por la pérdida de las condiciones que dieron acceso al mismo como titulares del derecho a la protección de la salud y a la asistencia sanitaria.

3.2.4. Reconocimiento del derecho

El reconocimiento del derecho a la prestación lo efectúa el Instituto Nacional de la Seguridad Social (INSS), si bien la prestación de los servicios sanitarios se lleva a cabo por los órganos competentes de cada Comunidad Autónoma y por el Instituto Nacional de Gestión Sanitaria en las ciudades de Ceuta y Melilla. Cada beneficiario tiene una Tarjeta Sanitaria Individual, que está regulada en el Real Decreto 183/2004, de 30 de enero, reformada, como hemos visto, por el Real Decreto 922/2024, de 17 de septiembre.

3.3. Regímenes especiales

La prestación de asistencia sanitaria también forma parte de la acción protectora de los regímenes especiales, si bien presenta peculiaridades en algunos de ellos, que detallamos sintéticamente a continuación:

❑ **Régimen Especial de Trabajadores del Mar**

En territorio nacional los beneficiarios del Régimen Especial del Mar reciben asistencia sanitaria fundamentalmente del Instituto Social de la Marina (ISM), mientras que los trabajadores embarcados en alta mar pueden solicitar consejo médico al Centro Radio-Médico, a los Centros en el Extranjero del ISM, a los buques sanitarios Esperanza del Mar y Juan de la Cosa. Estos buques brindan también asistencia sanitaria directa a pacientes de barcos de su área de acción.

Los trabajadores del mar en el extranjero reciben asistencia sanitaria del ISM a través de sus Centros Asistenciales en Dakar (Senegal) Nouadhibou (Mauritania), Seychelles y Walvis Bay (Namibia). En los países en los que el ISM no tiene medios propios, la asistencia corre a cargo del empresario, al cual el ISM le reembolsará los gastos ocasionados siempre que la cuantía exceda de 137,03 euros y hasta un límite máximo establecido por el Ministerio de Inclusión, Seguridad Social y Migraciones, en casos de enfermedad común o accidente no laboral y accidente laboral cuando esta última contingencia esté asegurada por el ISM (la cantidad está establecida por Orden de 19 de noviembre de 1997).

En los países de la Unión Europea el empresario podrá solicitar el reembolso de los gastos médicos según lo establecido en los Reglamentos 1408/71 y 574/72.

❑ **Régimen Especial de Estudiantes (Seguro Escolar)**

Únicamente se protegen, con carácter obligatorio para el Sistema, la cirugía general, la neuropsiquiatría, la tocología y la tuberculosis pulmonar y ósea. Con carácter graciable se incluyen la fisioterapia, la quimioterapia, la radioterapia, la cobaltoterapia, el riñón artificial y la especialidad quirúrgica maxilo-facial.

3.4. Desplazamientos por Europa (Tarjeta Sanitaria Europea)

Para cubrir la asistencia sanitaria en los desplazamientos por Europa, se debe utilizar la Tarjeta Sanitaria Europea (TSE). Esta tarjeta es individual, tiene una vigencia de dos años, se solicita en la Sede Electrónica de la Seguridad Social y certifica el derecho de su titular a recibir las prestaciones sanitarias que sean necesarias desde un punto de vista médico en igualdad de condiciones con los asegurados del país al que se desplaza el ciudadano español, durante una estancia temporal en cualquiera de los siguientes países:

❑ Los países integrantes de la Unión Europea.

❑ Los países del Espacio Económico Europeo (formados por los integrantes de la UE junto con Islandia, Liechtenstein y Noruega).

❑ Suiza.

Un trabajador autónomo desea desplazarse a Noruega, y desea saber si tendrá asistencia sanitaria en ese país y qué trámites debe llevar a cabo.

Tendrá que obtener la tarjeta sanitaria europea en alguno de los Centros de Atención e Información de la Seguridad Social (CAISS), y tendrá derecho a la asistencia sanitaria en Noruega, puesto que pertenece al Espacio Económico Europeo, en idénticas condiciones a las de un ciudadano de ese país.

4. Tipos de prestaciones económicas y/o asistenciales

A continuación vamos a estudiar los diferentes tipos de prestaciones económicas y/o asistenciales:

- ❑ Incapacidad temporal.

- ❑ Riesgo durante el embarazo y lactancia natural.

- ❑ Nacimiento y cuidado de menor.

- ❑ Corresponsabilidad en el cuidado del lactante.

- ❑ Cuidado de menores con enfermedad grave.

- ❑ Incapacidad permanente.

- ❑ Lesiones permanentes no incapacitantes.

- ❑ Jubilación.

- ❑ SOVI.

- ❑ Muerte y supervivencia.

- ❑ Indemnización especial.

- ❑ Prestaciones familiares.

- ❑ Prestaciones por actos terroristas.

- ❑ Seguro escolar.

- ❑ Prestaciones por desempleo.

- ❑ Otras prestaciones.

4.1. Incapacidad temporal

Puede definirse la IT, como la **situación en la que se encuentra el trabajador que, por causa de enfermedad, accidente, o período de observación en caso de enfermedad profesional, está imposibilitado con carácter temporal para el trabajo, y precisa asistencia sanitaria de la Seguridad Social.**

La protección por incapacidad temporal (IT) en el Régimen General de la Seguridad Social está regulada en los artículos 169 a 176 del TRLGSS. Las situaciones de necesidad que el Sistema selecciona como merecedoras de protección económica consisten en defecto de ingresos por pérdida de la retribución y, conforme a lo dispuesto en el artículo 169.1 del TRLGSS, son:

❑ Las debidas a enfermedad común o profesional y a accidente, sea o no de trabajo, mientras el trabajador reciba asistencia sanitaria de la Seguridad Social y esté impedido para el trabajo, con una duración máxima de trescientos sesenta y cinco días, prorrogables por otros ciento ochenta días cuando se presuma que durante ellos puede el trabajador ser dado de alta médica por curación.

❑ Tendrán la consideración de situaciones especiales de incapacidad temporal por contingencias comunes aquellas en que pueda encontrarse la mujer en caso de menstruación incapacitante secundaria, así como la debida a la interrupción del embarazo, voluntaria o no, mientras reciba asistencia sanitaria por el Servicio Público de Salud y esté impedida para el trabajo, sin perjuicio de aquellos supuestos en que la interrupción del embarazo sea debida a accidente de trabajo o enfermedad profesional, en cuyo caso tendrá la consideración de situación de incapacidad temporal por contingencias profesionales.

❑ Se considerará también situación especial de incapacidad temporal por contingencias comunes la de gestación de la mujer trabajadora desde el día primero de la semana trigésima novena.

❑ Se considerará situación especial de incapacidad temporal por contingencias comunes aquella en la que se encuentre la persona trabajadora donante de órganos o tejidos para su trasplante. Esta situación comprenderá tanto los días discontinuos como ininterrumpidos, en los que el donante reciba asistencia sanitaria de la Seguridad Social y esté impedido para el trabajo como consecuencia de la preparación médica de la cirugía, como los transcurridos desde el día del ingreso hospitalario para la realización de esta preparación o la realización del trasplante hasta que sea dado de alta por curación.

❑ Los períodos de observación por enfermedad profesional en los que se prescriba la baja en el trabajo.

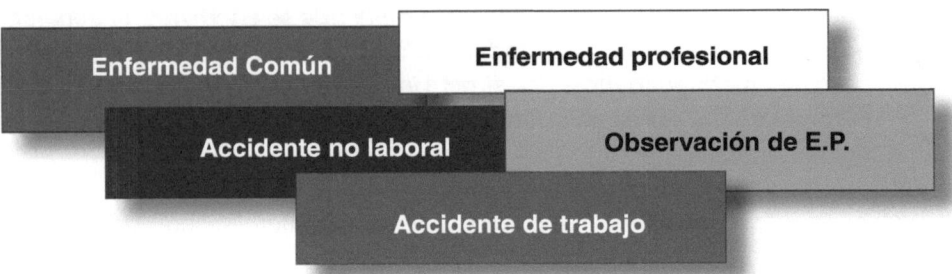

Desde el **punto de vista laboral**, la IT es una causa de suspensión del contrato de trabajo, regulada en el artículo 45 del TRLET y en el artículo 48 del mismo texto legal, que establece que "en el supuesto de incapacidad temporal, producida la extinción de esta situación con declaración de incapacidad permanente en los grados de incapacidad permanente total para la profesión habitual, absoluta para todo trabajo o gran incapacidad, cuando, a juicio del órgano de calificación, la situación de incapacidad del trabajador vaya a ser previsiblemente objeto de revisión por mejoría que permita su reincorporación al puesto de trabajo, subsistirá la suspensión de la relación laboral, con reserva del puesto de trabajo, durante un período de dos años a contar desde la fecha de la resolución por la que se declare la incapacidad permanente".

Así pues, cuando se produzca el alta médica del trabajador dentro del plazo que puede cubrir la incapacidad temporal, este tendrá derecho a reincorporarse a su puesto de trabajo, que habrá sido reservado para él durante ese tiempo (la empresa podrá haberlo cubierto mediante un contrato de duración determinada para la sustitución de una persona trabajadora con derecho a reserva de puesto de trabajo). En caso de que el trabajador no se reincorpore tras el alta médica, nos hallamos ante una causa de extinción del contrato de trabajo.

4.1.1. Cuantía

La prestación económica de la IT, consistirá en un **subsidio económico,** cuya cuantía se obtiene de aplicar a la base reguladora el porcentaje correspondiente. Esta cuantía depende del importe de la base reguladora, a la que se aplicarán unos porcentes que varían según se trate de una contingencia común o de una contingencia profesional.

❑ **Por enfermedad común o accidente no laboral**

La base reguladora es el cociente de dividir la base de cotización por contingencias comunes (BCCC) del trabajador correspondiente al mes anterior a la fecha de la baja por el número de días a que corresponda dicha cotización. Si el

trabajador tiene retribución mensual, dicho importe se divide siempre entre 30. En el caso de que se trate de un contrato a tiempo parcial, la base reguladora será el resultado de dividir la suma de las bases de cotización a tiempo parcial acreditadas desde la última alta laboral, con un máximo de tres meses inmediatamente anteriores al del hecho causante, entre el número de días naturales comprendidos en el periodo.

Los porcentajes para obtener el importe de la prestación son los siguientes:

♦ 60% de la base reguladora entre el cuarto y el vigésimo día de la baja médica, si bien la Seguridad Social únicamente se hará cargo a partir del día 16º, corriendo a cargo del empresario lo abonado con anterioridad.

♦ 75% a partir del vigésimo primer día.

♦ En la situación especial de incapacidad temporal por donación de órganos o tejidos para su trasplante, la prestación consistirá en un subsidio equivalente al 100% de la base reguladora establecida para la prestación de incapacidad temporal derivada de contingencias comunes.

❑ **Por enfermedades profesionales y accidentes de trabajo**

La base reguladora será el cociente que resulte de dividir el importe de la base de cotización por contingencias profesionales (BCCP) del mes anterior a la fecha del hecho causante (restándole el importe en bruto de las horas extraordinarias si las hubiera en dicho mes) por el número de días a que dicha cotización haga referencia. A ese importe habrá que añadir la cantidad que resulte de sumar lo que se ha percibido por horas extraordinarias que se hayan efectuado durante el año natural anterior al hecho causante; dicha suma habrá de dividirse por:

♦ 360 días (si la base de cotización es mensual).

♦ 365 días (si la base de cotización es diaria).

El porcentaje, en este caso, es el 75% de la base reguladora desde el día siguiente al de la baja.

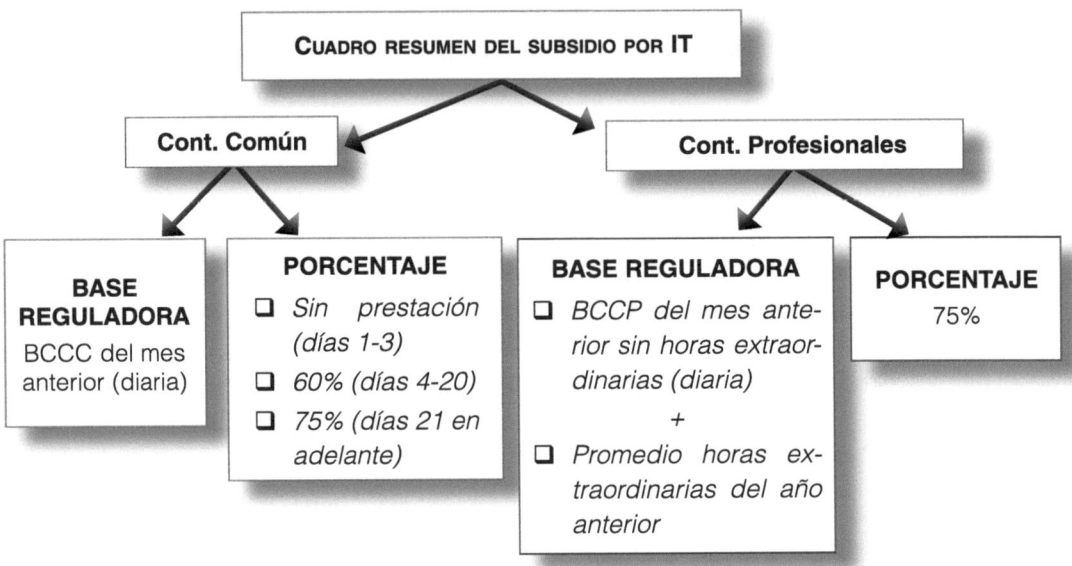

4.1.2. Situaciones especiales

❑ **Trabajadores en situación de "alta especial" por huelga o cierre patronal**

Con carácter general, el art. 173.3 del TRLGSS establece que "durante las situaciones de huelga y cierre patronal al trabajador no tendrá derecho a la prestación económica por incapacidad temporal".

❑ **Modificación de la base reguladora**

Si, encontrándose el trabajador en IT, se produjese una modificación en las bases mínimas de los grupos de cotización, quedando la base reguladora de su prestación por debajo de la nueva mínima establecida para su categoría profesional, la cuantía del subsidio deberá ser calculada de acuerdo con esta última, a partir de la iniciación de los efectos de la modificación.

Lo mismo ocurrirá si se modifica por convenio colectivo el salario del mes que sirvió de referencia para la determinación de la base reguladora del subsidio, es decir, el mes anterior al del inicio de la situación de IT.

❑ **Base reguladora en situaciones de pluriempleo**

Se realiza computando todas las bases de cotización de las distintas empresas, con aplicación del tope máximo vigente.

❑ **Base de los trabajadores que han causado alta el mismo mes en que surge la incapacidad**

En este caso, la base reguladora es la de cotización de ese mismo mes correspondiente a los días trabajados, dividida entre los días a que se refiera.

4.1.3. Beneficiarios

Por lo que se refiere a los beneficiarios de esta prestación, serán los trabajadores que acrediten, en el momento de producirse el hecho causante, hallarse afiliados, en alta o en situación asimilada a la de alta, y tener cotizados los siguientes períodos:

❑ IT por enfermedad común: 180 días en los cinco años anteriores a la fecha en que se produzca el hecho causante. A estos efectos, y a los exclusivos efectos de acreditar los periodos mínimos de cotización necesarios para causar derecho a las prestaciones de jubilación, incapacidad permanente, muerte y supervivencia, incapacidad temporal, maternidad y paternidad (recordemos que actualmente estas prestaciones han sido sustituidas por las de nacimiento y cuidado de menor), y cuidado de menores afectados por cáncer u otra enfermedad grave, en los contratos de carácter temporal cuya duración efectiva sea igual o inferior a cinco días, cada día de trabajo se considerará como 1,4 días de cotización, sin que en ningún caso pueda computarse mensualmente un número de días mayor que el que corresponda al mes respectivo. Esta previsión no será de aplicación en los supuestos de contratos a tiempo parcial, de relevo a tiempo parcial y contrato fijo-discontinuo. Tampoco en los supuestos especiales de menstruación incapacitante secundaria e interrupción del embarazo. En los casos de gestación a partir de la 39ª semana, se exigen los mismos periodos de cotización previa que para las prestaciones de nacimiento y cuidado de menor.

❑ IT por accidente, sea o no de trabajo, y por enfermedad profesional: no se exige período previo de cotización. Tampoco en los supuestos especiales de menstruación incapacitante secundaria, donación de órganos o tejidos para su trasplante e interrupción del embarazo. En los casos de gestación a partir de la 39ª semana, se exigen los mismos periodos de cotización previa que para las prestaciones de nacimiento y cuidado de menor.

Por lo que hace referencia al requisito del alta, recordemos además que, de acuerdo con el principio general de la situación de alta presunta o de pleno derecho, los trabajadores se considerarán de pleno derecho afiliados y en alta a efectos de IT derivada de contingencias profesionales. Por otra parte, también cumplirán este requisito quienes se encuentren en alguna de las siguientes situaciones asimiladas a la de alta:

❑ La percepción de prestaciones por desempleo de nivel contributivo.

❑ Trabajadores trasladados por sus empresas fuera del territorio nacional.

❑ Convenio especial suscrito por diputados, senadores y parlamentarios y miembros de los equipos de gobierno de las Comunidades Autónomas.

❑ Los períodos de reincorporación al trabajo de los trabajadores fijos discontinuos, si procediera su llamamiento por antigüedad y se encontrasen en situación de IT.

❑ Huelga legal y cierre patronal. En realidad, esta última no es una situación asimilada a la de alta, sino de "alta especial", como se denomina en las disposiciones que la regulan.

4.1.4. Pago

Por lo que hace referencia al pago de la prestación, debemos tener en cuenta que se trata de una prestación de pago delegado, de manera que el empresario -como consecuencia de su obligación de colaboración en la gestión de la Seguridad Social- abonará mensualmente el importe total del subsidio al trabajador, descontando posteriormente del importe de las cuotas que deba ingresar el del subsidio abonado.

No obstante, como ya hemos señalado anteriormente, en el caso de IT derivada de contingencias comunes, el empresario únicamente tendrá derecho a descontar el abono del subsidio a partir del decimosexto día, corriendo los días anteriores a su exclusivo cargo.

Por lo que se refiere a la cotización a la Seguridad Social durante la situación de IT, la obligación de cotizar continuará en la situación de incapacidad temporal. Sin embargo, dicha obligación no subsistirá durante la prórroga de los efectos de la situación de incapacidad temporal hasta el momento de la calificación de la incapacidad permanente.

4.1.5. Nacimiento, duración y extinción

El derecho al subsidio nace:

Al día siguiente de la baja en el trabajo

En caso de accidente de trabajo o enfermedad profesional: el día siguiente a la baja en el trabajo.

A partir del decimosexto día de baja

En caso de enfermedad común o de accidente no laboral, el subsidio se abonará a partir del decimosexto día de baja en el trabajo ocasionada por la enfermedad o el accidente, estando a cargo del empresario el abono de la prestación al trabajador desde los días cuarto al decimoquinto de baja, ambos inclusive. Recordemos que, en estos casos, no hay prestación durante los 3 primeros días.

La duración máxima del subsidio por IT viene referido a los siguientes períodos máximos de percepción del mismo:

a) Las incapacidades temporales debidas a enfermedad común o profesional y a accidente, sea o no de trabajo, se extenderán mientras el trabajador reciba asistencia sanitaria de la Seguridad Social y esté impedido para el trabajo, con una duración máxima de 365 días, prorrogables por otros 180 días cuando se presuma que durante ellos puede el trabajador ser dado de alta médica por curación.

El derecho al subsidio se extinguirá por el transcurso del plazo máximo de quinientos cuarenta y cinco días naturales desde la baja médica; por alta médica por curación o mejoría que permita al trabajador realizar su trabajo habitual; por ser dado de alta el trabajador con o sin declaración de incapacidad permanente; por el reconocimiento de la pensión de jubilación; por la incomparecencia injustificada a cualquiera de las convocatorias para los exámenes y reconocimientos establecidos por la inspección médica del Instituto Nacional de la Seguridad Social o por los médicos de la mutua colaboradora con la Seguridad Social; o por fallecimiento.

Se computan dentro de esos periodos los de recaída y observación derivados de un mismo proceso patológico. Sin embargo, de acuerdo con lo establecido en la Orden de 13 de octubre de 1967, si el proceso de incapacidad temporal se viere interrumpido por períodos de actividad laboral por un tiempo superior a seis meses, se iniciará otro nuevo.

Cuando el derecho al subsidio se extinga por el transcurso del período de quinientos cuarenta y cinco días naturales fijado en el apartado anterior, se examinará necesariamente, en el plazo máximo de noventa días naturales, el estado del incapacitado a efectos de su calificación, en el grado de incapacidad permanente que corresponda. No obstante, en aquellos casos en los que, continuando la necesidad de tratamiento médico por la expectativa de recuperación o la mejora del estado del trabajador, con vistas a su reincorporación laboral, la situación clínica del interesado hiciera aconsejable demorar la citada calificación, esta podrá retrasarse por el período preciso, sin que en ningún caso se puedan rebasar los setecientos treinta días naturales sumados los de incapacidad temporal y los de prolongación de sus efectos. En estos periodos no subsistirá la obligación de cotizar.

En aquellos casos en los que, de acuerdo con lo establecido en el artículo 49.1.n) del TRLET, la declaración de incapacidad permanente en los grados de total, absoluta o gran incapacidad no determine la extinción de la relación laboral, por llevar a cabo la empresa la adaptación razonable, necesaria y adecuada del puesto de trabajo a la nueva situación de incapacidad declarada o por haber destinado a otro puesto a la persona trabajadora, la prestación de incapacidad permanente se suspenderá durante el desempeño del mismo puesto de trabajo con adaptaciones u otro que resulte incompatible con la percepción de la pensión que corresponda.

Finalmente, en caso de extinción de la incapacidad temporal anterior al agotamiento de los quinientos cuarenta y cinco días naturales de duración de la misma sin que exista ulterior declaración de incapacidad permanente, subsistirá la obligación de cotizar mientras no se extinga la relación laboral o hasta la extinción del citado plazo de quinientos cuarenta y cinco días naturales, de producirse con posterioridad dicha declaración de inexistencia de incapacidad permanente.

b) Períodos de observación por enfermedad profesional, 180 días, prorrogables por otros 180 días cuando se estime necesario para el estudio y diagnóstico de la enfermedad. Los períodos de observación médica de enfermedad profesional, cuando esta exista y se declare una IT derivada de enfermedad profesional, se computarán en la duración de la nueva IT el período consumido por observación médica.

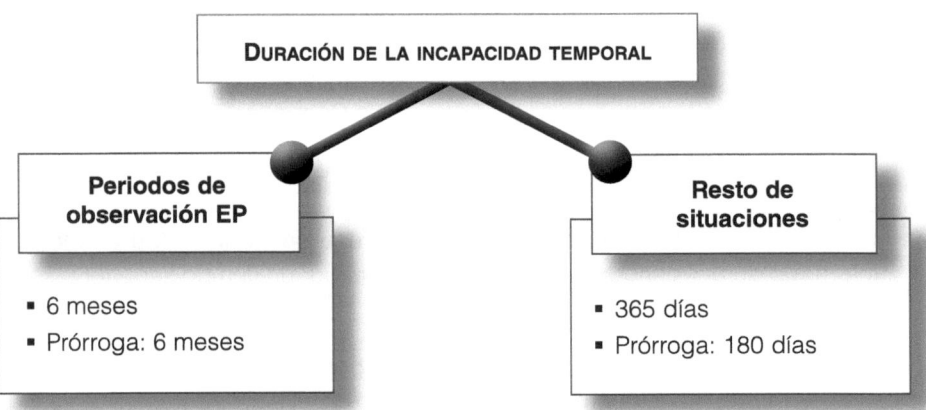

Por último, de conformidad con el art. 174 del TRLGSS, el derecho al subsidio por IT se extingue por alguna de las siguientes causas:

a) Por el transcurso del plazo máximo establecido para la situación de incapacidad temporal de que se trate. En este caso solo podrá generarse un nuevo proceso de incapacidad temporal por la misma o similar patología si media un período de actividad laboral superior a 180 días o si el Instituto Nacional de la Seguridad Social, a través de los órganos competentes para evaluar, calificar y revisar la situación de incapacidad permanente del trabajador, emite la baja a los exclusivos efectos de la prestación económica incapacidad temporal.

b) Por ser dado de alta médica el trabajador, con o sin declaración de incapacidad permanente.

c) Por haber sido reconocido al beneficiario el derecho al percibo de la pensión de jubilación.

d) Por la incomparecencia injustificada a cualquiera de las convocatorias para los exámenes y reconocimientos establecidos por los médicos adscritos al Instituto Nacional de la Seguridad Social o a la Mutua Colaboradora con la Seguridad Social.

e) Por fallecimiento.

```
        ┌────────────────┐
        │  Agotamiento   │
        │   de plazo     │
        └────────────────┘

┌──────────────┐   Causas de    ┌──────────────┐
│ Fallecimiento │  extinción    │  Alta        │
│              │   de la IT     │  médica      │
└──────────────┘                └──────────────┘

┌──────────────────┐   ┌──────────────┐
│ Incomparecencia a │   │  Pensión de  │
│  reconocimientos  │   │  jubilación  │
└──────────────────┘   └──────────────┘
```

Veamos, resumidas, las situaciones especiales respecto de la extinción de la Incapacidad temporal:

☐ Cuando la situación de incapacidad temporal se extinga por el transcurso del plazo máximo fijado legalmente en 545 días, es decir, los 365 días ordinarios más los 180 días de la prórroga, se examinará necesariamente, en el plazo máximo de tres meses, el estado del incapacitado a efectos de su calificación, en el grado de incapacidad permanente que corresponda. No obstante, en aquellos casos en los que, continuando la necesidad de tratamiento médico por la expectativa de recuperación o la mejora del estado del trabajador, con vistas a su reincorporación laboral, la situación clínica del interesado hiciera aconsejable demorar la citada calificación, esta podrá retrasarse por el período preciso, que en ningún caso podrá rebasar los 730 días siguientes a la fecha en que se haya iniciado la incapacidad temporal. Durante estos periodos no subsistirá la obligación de cotizar.

☐ Cuando la extinción se produjera por el transcurso del plazo máximo o por alta médica con declaración de incapacidad permanente, los efectos de la situación de IT se prorrogarán hasta el momento de la calificación de incapacidad permanente, en cuya fecha se iniciarán las prestaciones económicas de esta, salvo que las mismas sean superiores a las que venía percibiendo el trabajador, en cuyo caso se retrotraerán aquellas al momento en que se haya agotado la incapacidad temporal.

❑ En el supuesto de alta médica anterior al agotamiento del plazo máximo de duración de la situación de incapacidad temporal, sin que exista ulterior declaración de incapacidad permanente, subsistirá la obligación de cotizar mientras no se extinga la relación laboral o hasta la extinción del plazo máximo de duración de la incapacidad temporal, de producirse con posterioridad dicha declaración de inexistencia de incapacidad permanente.

4.1.6. Cotización

La obligación de cotizar continuará en la situación de incapacidad temporal hasta el máximo de 545 días. Sin embargo, dicha obligación no subsistirá durante la prórroga de los efectos de la situación de incapacidad temporal hasta el momento de la calificación de la incapacidad permanente.

4.1.7. Anulación, denegación y suspensión

Las causas de anulación, denegación o suspensión del subsidio son las siguientes:

❑ Actuación fraudulenta del beneficiario para obtener o conservar el derecho.

❑ Cuando el beneficiario trabaje por cuenta propia o ajena.

❑ También podrá ser suspendido el derecho al subsidio cuando, sin causa razonable, el beneficiario rechace o abandone el tratamiento que le fuere indicado.

❑ La incomparecencia del beneficiario a cualquiera de las convocatorias realizadas por los médicos adscritos al Instituto Nacional de la Seguridad Social y a las Mutuas Colaboradoras con la Seguridad Social para examen y reconocimiento médico producirá la suspensión cautelar del derecho, al objeto de comprobar si aquella fue o no justificada. Reglamentariamente se regulará el procedimiento de suspensión del derecho y sus efectos.

4.1.8. Procedimiento

Analizamos ahora los **aspectos procedimentales** regulados en el Real Decreto 625/2014, de 18 de julio, por el que se regulan determinados aspectos de la gestión y control de los procesos por incapacidad temporal en los primeros 365 días de su duración.

Este Real Decreto se aplica en la actualidad de acuerdo con lo establecido en la Orden ESS/1187/2015, sobre gestión y control de la incapacidad temporal. Tanto el Real Decreto como la Orden mencionados han sido modificados por Real Decreto 1060/2022, de 27 de diciembre, y por Orden IMS/2/2023, de 11 de enero, respectivamente.

En esta materia, este Real Decreto 1060/2022 y la Orden IMS/2/2023 han introducido una importante novedad en la tramitación de los partes médicos de alta, confirmación y baja. Así, **a partir del día 1 de abril de 2023** desaparece la obligación de que las personas trabajadoras afectadas por procedimientos de incapacidad temporal entreguen dichos partes a sus empresas, pasando el procedimiento a convertirse en una tramitación íntegramente telemática.

Así, **el facultativo que expida el parte médico de baja, confirmación o alta entregará a la persona trabajadora una copia de este, sin que deba entregarla a la empresa**. El servicio público de salud o, en su caso, la mutua o la empresa colaboradora remitirá los datos contenidos en los partes médicos de baja, confirmación y alta al Instituto Nacional de la Seguridad Social, por vía telemática, de manera inmediata, y, en todo caso, en el primer día hábil siguiente al de su expedición. El Instituto Nacional de la Seguridad Social, a su vez, comunicará a las empresas los datos identificativos de carácter meramente administrativo relativos a los partes médicos de baja, confirmación y alta emitidos por los facultativos del servicio público de salud o de la mutua, referidos a sus personas trabajadoras, como máximo, en el primer día hábil siguiente al de su recepción en dicho Instituto, para su conocimiento y cumplimiento, en su caso, de lo previsto en el párrafo siguiente.

Las **empresas tienen la obligación de transmitir al Instituto Nacional de la Seguridad Social a través del sistema de Remisión Electrónica de Datos (RED)**, con carácter inmediato y, en todo caso, en el plazo máximo de tres días hábiles contados a partir de la recepción de la comunicación de la baja médica, los datos que se determinan en la Orden IMS/2/2023. El incumplimiento de la citada obligación podrá constituir, en su caso, una infracción de las tipificadas en el artículo 21.4 del TRLISOS.

Por último, el Instituto Nacional de la Seguridad Social facilitará a la Tesorería General de la Seguridad Social, siempre que se precise, los datos de las personas trabajadoras que se encuentran en situación de incapacidad temporal con o sin derecho a prestación económica durante cada período de liquidación de cuotas, con el fin de que dicho servicio común lleve a cabo las actuaciones necesarias para que en la liquidación de cuotas de la Seguridad Social se compensen, en su caso, las cantidades satisfechas a las personas trabajadoras en el pago por delegación de dicha prestación. Esta comunicación entre entidades será necesaria, en todo caso, para que la **Tesorería General de la Seguridad Social** aplique las citadas compensaciones en la liquidación de cuotas.

En esta materia hay que tener presente que la Reforma Laboral 2012 (Real Decreto Ley 3/2012, de 10 de febrero, y Ley 3/2012, de 6 de julio, de medidas urgentes para la reforma del mercado laboral) estableció que el Gobierno, previa consulta con los interlocutores sociales, estudiaría en un plazo de tres meses desde la entrada en vigor de la propia Ley 3/2012 la modificación del régimen jurídico de las Mutuas Colaboradoras con la Seguridad Social para una más eficaz gestión de la incapacidad temporal. La Ley 35/2014, de 26 de diciembre, modificó el entonces vigente TRLGSS en relación con el régimen jurídico de las Mutuas de Accidentes de Trabajo y Enfermedades Profesionales de la Seguridad Social, que pasan a denominarse Mutuas Colaboradoras con la Seguridad Social.

A) Partes de baja y de confirmación

De acuerdo con lo establecido en el Real Decreto 625/2014, de 18 de julio, y en la Orden ESS/1187/2015, de 15 de junio -modificada por la Orden IMS/2/2023- que lo desarrolla, los partes de baja y de confirmación de la baja se extenderán **en función del periodo de duración que estime el médico** que los remite, teniendo en cuenta que en cualquiera de estos procesos el facultativo del servicio público de salud, de la empresa colaboradora o de la mutua, podrá fijar la correspondiente revisión médica en un periodo inferior al indicado en cada caso. A estos efectos, se establecen cuatro grupos de procesos:

a) En los procesos de duración estimada **inferior a cinco días naturales**, el facultativo del servicio público de salud, de la empresa colaboradora o de la mutua, emitirá el parte de baja y el parte de alta en el mismo acto médico. El facultativo, en función de cuando prevea que el trabajador va a recuperar su capacidad laboral, consignará en el parte la fecha del alta, que podrá ser la misma que la de la baja o cualquiera de los tres días naturales siguientes a esta. No obstante el trabajador podrá solicitar que se le realice un reconocimiento médico el día que se haya fijado como fecha de alta, y el facultativo podrá emitir el parte de confirmación de la baja, si considerase que el trabajador no ha recuperado su capacidad laboral.

b) En los procesos de duración estimada de **entre 5 y 30 días naturales**, el facultativo del servicio público de salud, de la empresa colaboradora o de la mutua, emitirá el parte de baja consignando en el mismo la fecha de la revisión médica prevista que, en ningún caso, excederá en más de siete días naturales a la fecha de baja inicial. En la fecha de revisión se extenderá el parte de alta o, en caso de permanecer la incapacidad, el parte de confirmación de la baja. Después de este primer parte de confirmación, los sucesivos, cuando sean necesarios, no podrán emitirse con una diferencia de más de catorce días naturales entre sí.

c) En los procesos de duración estimada de **entre 31 y 60 días naturales**, el facultativo del servicio público de salud, de la empresa colaboradora o de la mutua, emitirá el parte de baja consignando en el mismo la fecha de la revisión médica prevista que, en ningún caso, excederá en más de siete días naturales a la fecha de baja inicial, expidiéndose entonces el parte de alta o, en su caso, el correspondiente parte de confirmación de la baja. Después de este primer parte de confirmación, los sucesivos, cuando sean necesarios, no podrán emitirse con una diferencia de más de veintiocho días naturales entre sí.

d) En los procesos de duración estimada de **61 o más días naturales**, el facultativo del servicio público de salud, de la empresa colaboradora o de la mutua, emitirá el parte de baja en el que fijará la fecha de la revisión médica prevista, la cual en ningún caso excederá en más de catorce días naturales a la fecha de baja inicial, expidiéndose entonces el parte de alta o, en su caso, el correspondiente parte de confirmación de la baja. Después de este primer parte de confirmación, los suce-

sivos, cuando sean necesarios, no podrán emitirse con una diferencia de más de treinta y cinco días naturales entre sí.

B) Partes de alta

El parte médico de alta en la situación de incapacidad temporal será expedido por el facultativo del Servicio Público de Salud respectivo, con la misma tramitación que los partes médicos de baja y confirmación.

Asimismo, el parte médico de alta podrá también ser extendido por el facultativo adscrito al Instituto Nacional de la Seguridad Social. Para ello, dicho facultativo, tras el reconocimiento del trabajador, deberá comunicar, a través del órgano correspondiente de la Dirección Provincial de la citada entidad gestora, y utilizando el modelo de comunicación establecido al efecto, a la Inspección de Servicios Sanitarios de la Seguridad Social u órgano equivalente del correspondiente Servicio Público de Salud, la intención de formalizar el alta médica, remitiéndoles inmediatamente copia del correspondiente parte, a fin de que los órganos mencionados puedan, en el plazo de tres días hábiles siguientes al de la comunicación de la intención señalada, manifestar expresamente su disconformidad motivada. De no recibirse en el plazo mencionado la disconformidad señalada, el parte médico de alta expedido surtirá efectos.

TIPOS DE PARTES

Baja   Confirmación   Alta

 *Accede a los contenidos extra para visualizar el parte médico de baja/alta de incapacidad temporal.*

C) Especialidades en caso de accidente de trabajo

Cuando la IT sea consecuencia de un **accidente de trabajo**, existe un procedimiento específico para la declaración de accidente de trabajo que viene regulado en la Orden de 16 de diciembre de 1987, teniendo en cuenta que la Orden TAS/2926/2002, de 19 de noviembre, estableció los modelos para la notificación de los accidentes de trabajo y posibilita su transmisión por procedimiento electrónico; hay que señalar que la Sentencia 211/2012, de 14 de noviembre, del Pleno del Tribunal Constitucional (BOE. núm. 299, de 13 de diciembre de 2012) ha establecido que parte del contenido de esta norma vulnera las competencias de la Generalitat de Cataluña. En estos casos, el empresario (o trabajador por cuenta propia) dentro del plazo

máximo de cinco días hábiles, contados desde la fecha en que se produjo el accidente o desde la fecha de la baja médica, cursará parte del mismo a la Entidad Gestora o Colaboradora que tenga a su cargo la protección por accidente de trabajo. El parte de accidente de trabajo deberá cumplimentarse en aquellos accidentes de trabajo o recaídas que conlleven la ausencia del accidentado en el trabajo, al menos un día, previa baja médica.

La relación de accidentes de trabajo ocurridos sin baja médica deberá cumplimentarse mensualmente en aquellos accidentes de trabajo que no hayan causado baja médica. Finalmente, y también con periodicidad mensual, debe cumplimentarse el documento que contiene la relación de altas o fallecimientos de trabajadores accidentados.

Documentos (accidentes de trabajo)

❑ *Parte de AT.* ❑ *Relación de AT sin baja médica.* ❑ *Relación de altas o fallecimientos.*

En la actualidad, como hemos indicado anteriormente, se ha implantado el sistema de Declaración Electrónica de Accidentes de Trabajo (Sistema Delta), que tiene su equivalente en algunas Comunidades Autónomas que tienen competencia en esta materia; el acceso a este Sistema Delta se realiza a través de la página https://delta.mites.gob.es/Delta2Web/main/principal.jsp. Este sistema está operativo desde enero de 2004, a través de la Orden TAS/2926/2002, de 19 de noviembre, por la que se establecen los nuevos modelos para la notificación de los accidentes de trabajo y se posibilita su transmisión por procedimiento electrónico, y desarrollado por la Resolución de 26 de noviembre de 2002. De manera que existe la obligación por parte de las empresas y Mutuas Colaboradoras con la Seguridad Social de realizar la transmisión de los accidentes así como la cumplimentación mensual de los partes de accidente sin baja médica por este sistema.

CONTENIDO DEL PARTE DE ACCIDENTE	<ul><li>Datos del trabajador: nombre, CIF o DNI, domicilio, número de inscripción a la Seguridad Social, plantilla.</li><li>Datos de la empresa: nombre, CIF o DNI, domicilio, número de inscripción a la Seguridad Social, plantilla.</li><li>Datos del centro de trabajo: domicilio, actividad económica principal, número de inscripción a la Seguridad Social.</li><li>Datos del accidente: fecha, lugar, hora, día, trabajo habitual, hora de trabajo del accidente, descripción del accidente, agente causante y fecha de la baja médica.</li><li>Datos asistenciales: descripción de la lesión, establecimiento sanitario, parte del cuerpo lesionada, y médico que efectúa la asistencia inmediata.</li><li>Datos económicos: Base de cotización mensual, anual y subsidio.</li></ul>

CONTENIDO DE LA RELACIÓN DE ALTAS O FALLECIMIENTOS DE ACCIDENTADOS	<ul><li>IPF (Identificador de Persona Física).</li><li>Número de referencia Delt@.</li><li>Código de Cuenta de Cotización en la que está el trabajador.</li><li>Grado real de la lesión.</li><li>Causa del alta.</li><li>Diagnóstico.</li></ul>
CONTENIDO DE LA RELACIÓN DE ACCIDENTES DE TRABAJO OCURRIDOS SIN BAJA MÉDICA	<ul><li>Datos de la empresa en la que el trabajador está dado de alta en la Seguridad Social.</li><li>Datos del centro de trabajo.</li><li>RELACIÓN DE ACCIDENTADOS:</li></ul> (1) Nº Afiliación a la Seguridad Social (NAF). (2) IPF (Identificador de Persona Física). (4) Forma (contacto-modalidad de la lesión): es lo que describe el modo en que la víctima ha resultado lesionada (la lesión puede ser tanto física como psicológica) por el agente material que ha provocado dicha lesión. Si hubiera varias formas o contactos se registrará el que produzca la lesión más grave. (5) y (6) Descripción de la lesión y parte del cuerpo lesionada: además de una breve descripción literal, se consignará el código que corresponda.

Para finalizar, hay que tener en cuenta que la Orden TAS/1/2007, de 2 de enero, establece el modelo de parte de enfermedad profesional, dicta normas para su elaboración y transmisión y crea el correspondiente fichero de datos personales. El parte de enfermedad profesional se elaborará y transmitirá siempre en su totalidad por medios electrónicos, sin perjuicio de su posible impresión en soporte papel en los casos en que se considere necesario, y concretamente cuando lo soliciten el trabajador y el empresario, este último con las limitaciones que procedan. En la actualidad, dicha comunicación electrónica se realiza mediante la aplicación informática CEPROSS (Comunicación de enfermedades profesionales, Seguridad Social), a la que se tendrá acceso a través de la oficina virtual de la dirección electrónica http://www.seg-social.es, mediante el enlace a la Sede Electrónica de la Seguridad Social, o bien directamente a través del enlace https://sede.seg-social.gob.es, y siempre que se cuente con el correspondiente certificado digital.

Una trabajadora, auxiliar administrativo con retribución mensual, tiene suscrito desde 1 de enero de 2026 un contrato de trabajo por tiempo indefinido con una empresa. El día 8 de mayo de 2026 inicia una situación de incapacidad temporal derivada de enfermedad común al haber contraído una grave enfermedad vírica, resultando hospitalizada. Permanece en esa situación durante el resto del mes de mayo de 2026. Está hospitalizada y en situación de incapacidad temporal, por tanto, un total de 24 días.

La base de cotización por contingencias comunes del mes de abril de 2026 fue de 1.800,00 euros. En el periodo comprendido entre mayo de 2026 y abril de 2026 la trabajadora realizó y cotizó efectivamente en concepto de horas extraordinarias la cantidad de 360,00 euros.

Veamos la prestación correspondiente a los 24 días de incapacidad temporal (días 8 a 31 de mayo):
Base reguladora: 1.800,00 / 30 = 60,00

Días 8, 9 y 10: NO PRESTACIÓN	=	*0*
Días 11 a 22: (60,00 x 12) x 60%	=	*432,00*
Días 23 a 27: (60,00 x 5) x 60%	=	*180,00*
Días 28 a 31: (60,00 x 4) x 75%	=	*180,00*
Total prestación		*792,00 euros*

El empresario asumirá a su cargo el pago de los 15 primeros días, es decir, en este caso, 432,00 euros.

4.2. Riesgo durante el embarazo y riesgo durante la lactancia natural

La Ley 39/1999, de 5 de noviembre, modificó el anterior TRLGSS (hoy desarrollado en esta materia por el Real Decreto 295/2009, de 6 de marzo) procediendo a crear una nueva prestación, denominada **"Riesgo durante el embarazo"**, regulada en los artículos 186 y 187 del vigente Texto Refundido y que viene a completar el ámbito de protección de la mujer trabajadora en relación con las circunstancias derivadas del embarazo.

Se considera, por tanto, situación protegida el período de suspensión del contrato de trabajo en los supuestos en que, debiendo la mujer trabajadora cambiar de puesto de trabajo por otro compatible con su estado, en los términos previstos en el art. 26, apartado 3, de la Ley 31/1995, de 8 de noviembre, de Prevención de Riesgos Laborales, dicho cambio de puesto no resulte técnica u objetivamente posible, o no pueda razonablemente exigirse por motivos justificados. Si el cambio de puesto de trabajo fuera posible y la trabajadora pudiera

seguir trabajando, la empresa tendrá una reducción del 50% en las cuotas empresariales de la Seguridad Social por contingencias comunes durante el tiempo de permanencia en el nuevo puesto o función. Estas bonificaciones, recogidas en el artículo 19 del Real Decreto Ley 1/2023, son de 138 euros al mes.

La prestación económica por riesgo durante el embarazo se concederá a la mujer trabajadora en los términos y condiciones previstos en el TRLGSS para la prestación económica de incapacidad temporal derivada de contingencias profesionales, sin más particularidades que las siguientes:

- **Comienzo al día siguiente de la suspensión del contrato:** la prestación económica, cuyo pago corresponderá a la Entidad Gestora, nacerá el día en que se inicie la suspensión del contrato de trabajo y finalizará el día anterior a aquel en que se inicie la suspensión del contrato de trabajo por nacimiento y cuidado de menor o el de reincorporación de la mujer trabajadora a su puesto de trabajo anterior o a otro compatible con su estado.

- **Subsidio equivalente al 100% de la base reguladora:** la prestación económica consistirá en subsidio equivalente al 100% de la base reguladora correspondiente. A tales efectos, la base reguladora será equivalente a la que esté establecida para la prestación de incapacidad temporal, derivada de contingencias profesionales.

- **Gestión de la prestación por la entidad gestora:** la prestación económica por riesgo durante el embarazo se gestionará directamente por la entidad gestora o por la Mutua Colaboradora con la Seguridad Social con el que tenga concertada la empresa la cobertura de riesgos profesionales y tendrá en todo caso la consideración de contingencia profesional, por lo que no se requerirá periodo de cotización previa alguno.

Por lo que se refiere a la prestación de **"Riesgo durante la lactancia natural"**, la Ley Orgánica 3/2007, para la Igualdad efectiva de mujeres y hombres, ha creado esta nueva prestación, regulada en los artículos 188 y 189 del TRLGSS, y en el Real Decreto 295/2009, de 6 de marzo, consistente en un subsidio económico de idénticas características al de Riesgo durante el embarazo, pero resultando en este caso el riesgo derivado de la lactancia natural de un menor de nueve meses.

Realizaremos a continuación un ejercicio de comprensión:

	R. Embarazo	R. Lactancia
Tipo de Prestación	....	....
Tipo de Contingencia	....	....
Duración	....	....
Cuantía	....	....
Pago	....	....

Veamos, a continuación, las soluciones:

	R. Embarazo	R. Lactancia
Tipo de Prestación	Subsidio	Subsidio
Tipo de Contingencia	Profesional	Profesional
Duración	Hasta inicio nacimiento y cuidado de menor	Nueve meses del hijo
Cuantía	100% B.R.	100% B.R.
Pago	Directo	Directo

Una trabajadora que trabaja como cajera en un pequeño supermercado, en el que no hay otros puestos de trabajo disponibles, se halla embarazada y por prescripción facultativa su trabajo es incompatible con su estado. No obstante, esta trabajadora solamente ha trabajado 60 días en los últimos 5 años, y se pregunta si puede tener derecho a la prestación de Riesgo durante el embarazo, y qué cuantía percibiría.

Podrá acceder a la prestación de riesgo durante el embarazo, puesto que se halla en alta, y esta prestación no requiere periodo previo de cotización alguno. La cuantía de la prestación será del 100% de su base reguladora, calculada sobre la base de cotización que tuviera la trabajadora en el mes anterior al del inicio de la situación.

4.3. Nacimiento y cuidado de menor

Desde el año 1995 la prestación de Maternidad se desvincula del ámbito de la antigua incapacidad laboral transitoria,
pasando a constituir una nueva prestación con autonomía y regulación propias. Así, se incorpora esta prestación al TRLGSS, actualmente recogida en sus artículos 177 a 182 con la nueva denominación de "Nacimiento y cuidado de menor". El desarrollo
reglamentario viene constituido por el Real Decreto 295/2009,
de 6 de marzo, por el que se regulan las prestaciones
económicas del sistema de la Seguridad Social por
maternidad, paternidad, riesgo durante el embarazo y riesgo durante la lactancia natural.

4.3.1. Situaciones protegidas

La prestación por nacimiento y cuidado de menor recoge como situaciones protegidas
el **nacimiento**, la **adopción**, la **guarda** con fines de adopción y el **acogimiento** familiar, de
conformidad con el Código Civil o las leyes civiles de las Comunidades Autónomas que lo
regulen, durante los períodos de descanso que por tales situaciones se disfruten, de acuerdo
con lo previsto en los apartados 4, 5 y 6 del artículo 48 del TRLET y en el artículo 49.a), b) y c)
del texto refundido de la Ley del Estatuto Básico del Empleado Público.

A) Prestación en caso de nacimiento

El nacimiento, que comprende el parto y el cuidado de menor, suspenderá el contrato
de trabajo de la madre biológica -incluida la persona trans gestante- y el del progenitor distinto de la madre biológica durante los siguientes periodos de tiempo, teniendo en cuenta
que se trata de derecho individual de la persona trabajadora cuyo ejercicio no puede ser
transferido al otro progenitor:

❏ **Diecinueve semanas**, con carácter general.

❏ **Treinta y dos semanas** en el supuesto de **monoparentalidad**, por existir una única persona progenitora.

❏ En los casos de **parto prematuro** y en aquellos en que, por cualquier otra causa, el neonato deba permanecer **hospitalizado** a continuación del parto, el periodo de suspensión podrá computarse, a instancia de la madre biológica o del otro progenitor, a partir de la fecha del alta hospitalaria. Se excluyen de dicho cómputo las seis semanas posteriores al parto, de suspensión obligatoria del contrato de la madre biológica.

❏ En los casos de **parto prematuro con falta de peso** y en aquellos otros en que el neonato precise, por alguna condición clínica, hospitalización a continuación del parto, por un periodo **superior a siete días**, el periodo de suspensión se ampliará en tantos días como el nacido se encuentre hospitalizado, con un máximo de trece semanas adicionales, y en los términos en que reglamentariamente se desarrolle.

❏ En el supuesto de **discapacidad del hijo o hija** la suspensión tendrá una duración adicional de **dos semanas**, una para cada una de las personas progenitoras. En caso de haber una única persona progenitora, esta podrá disfrutar de la ampliación prevista para el caso de familias con dos personas progenitoras.

❏ En el supuesto de **nacimiento múltiple**, la suspensión tendrá una duración adicional de **dos semanas**, una para cada una de las personas progenitoras por cada hijo o hija distinta del primero. En caso de haber una única persona progenitora, esta podrá disfrutar de la ampliación prevista para el caso de familias con dos personas progenitoras.

❏ En el supuesto de **fallecimiento del hijo o hija**, el periodo de suspensión no se verá reducido, salvo que, una vez finalizadas las seis semanas de descanso obligatorio, se solicite la reincorporación al puesto de trabajo.

❏ En caso de **fallecimiento de uno de los progenitores**, el otro progenitor podrá hacer uso de la totalidad o, en su caso, de la parte que reste de permiso.

La suspensión del contrato de cada uno de los progenitores por el cuidado de menor **se distribuye** de la siguiente manera:

a) **Seis semanas ininterrumpidas** inmediatamente posteriores al parto serán obligatorias y habrán de disfrutarse a jornada completa.

b) **Once semanas, veintidós en el caso de monoparentalida**d, que podrán distribuirse a voluntad de la persona trabajadora, en períodos semanales a disfrutar de forma acumulada o interrumpida y ejercitarse desde la finalización de la suspensión obligatoria posterior al parto hasta que el hijo o la hija cumpla doce meses. No obs-

tante, la madre biológica podrá anticipar su ejercicio hasta cuatro semanas antes de la fecha previsible del parto.

c) **Dos semanas, cuatro en el caso de monoparentalidad**, para el cuidado del menor que podrán distribuirse a voluntad de la persona trabajadora, en períodos semanales de forma acumulada o interrumpida hasta que el hijo o la hija cumpla los ocho años.

Las suspensiones previstas en las letras b) y c) podrán disfrutarse en régimen de **jornada completa o de jornada parcial,** previo acuerdo entre la empresa y la persona trabajadora, y conforme se determine reglamentariamente. La persona trabajadora deberá comunicar a la empresa, con una antelación mínima de quince días, el ejercicio de este derecho en los términos establecidos, en su caso, en los convenios colectivos. Cuando los dos progenitores que ejerzan este derecho trabajen para la misma empresa, la dirección empresarial podrá limitar su ejercicio simultáneo por razones fundadas y objetivas, debidamente motivadas por escrito.

B) Prestación en caso de adopción, guarda con fines de adopción y acogimiento

En los supuestos de adopción, de guarda con fines de adopción y de acogimiento, la suspensión tendrá -insistiendo en el carácter intransferible de este derecho- la siguiente duración, teniendo en cuenta que en ningún caso un mismo menor dará derecho a varios periodos de suspensión en la misma persona trabajadora:

❑ **Diecinueve semanas** para cada adoptante, guardador o acogedor, con carácter general.

❑ **Treinta y dos semanas** en el supuesto de **monoparentalidad**, por existir una única persona adoptante, guardadora con fines de adopción o acogedora.

❑ En el supuesto de **discapacidad del hijo o hija** la suspensión tendrá una duración adicional de **dos semanas**, una para cada una de las personas progenitoras. En caso de haber una única persona progenitora, esta podrá disfrutar de la ampliación prevista para el caso de familias con dos personas progenitoras.

❑ En el supuesto de **adopción, guarda o acogimiento múltiples**, la suspensión tendrá una duración adicional de **dos seman**as, una para cada una de las personas progenitoras por cada hijo o hija distinta del primero. En caso de haber una única persona progenitora, esta podrá disfrutar de la ampliación prevista para el caso de familias con dos personas progenitoras.

❑ En el supuesto de **fallecimiento del menor**, el periodo de suspensión no se verá reducido, salvo que, una vez finalizadas las seis semanas de descanso obligatorio, se solicite la reincorporación al puesto de trabajo.

❑ En caso de **fallecimiento de una de las personas adoptantes, guardadoras con fines de adopción o acogedoras**, la otra persona podrá hacer uso de la totalidad o, en su caso, de la parte que reste de permiso.

❑ En los supuestos de **adopción internacional**, cuando sea necesario el desplazamiento previo de los progenitores al país de origen del adoptado, el periodo de suspensión previsto para cada caso en este apartado podrá iniciarse hasta cuatro semanas antes de la resolución por la que se constituye la adopción.

La suspensión del contrato de cada persona adoptante, guardador o acogedora por el cuidado de menor se distribuye de la siguiente manera:

a) **Seis semanas** deberán disfrutarse a jornada completa de forma obligatoria e ininterrumpida, inmediatamente después de la resolución judicial por la que se constituye la adopción o bien de la decisión administrativa de guarda con fines de adopción o de acogimiento.

b) **Once semanas, veintidós en el caso de monoparentalidad,** que podrán distribuirse, a voluntad de la persona trabajadora, en períodos semanales a disfrutar de forma acumulada o interrumpida y ejercitarse dentro de los doce meses siguientes a la resolución judicial por la que se constituya la adopción o bien a la decisión administrativa de guarda con fines de adopción o de acogimiento.

c) **Dos semanas, cuatro en el caso de monoparentalidad**, para el cuidado del menor que podrán distribuirse, a voluntad de la persona trabajadora, en períodos semanales de forma acumulada o interrumpida hasta que el menor cumpla los ocho años.

Las suspensiones previstas en las letras b) y c) podrán disfrutarse en régimen de **jornada completa o de jornada parcial,** previo acuerdo entre la empresa y la persona trabajadora, y conforme se determine reglamentariamente. La persona trabajadora deberá comunicar a la empresa, con una antelación mínima de quince días, el ejercicio de este derecho en los términos establecidos, en su caso, en los convenios colectivos. Cuando los dos adoptantes, guardadores o acogedores que ejerzan este derecho trabajen para la misma empresa, la dirección empresarial podrá limitar su ejercicio simultáneo por razones fundadas y objetivas, debidamente motivadas por escrito.

 *Una trabajadora acaba de tener un hijo y, coincidiendo con el parto, inicia su descanso por nacimiento y cuidado de menor el día 1 de mayo de 2026. Quiere saber si el padre tendrá derecho a alguna prestación o únicamente le corresponde a ella.*

El padre tendrá derecho a suspender el contrato de trabajo durante dieciséis semanas, con la correspondiente prestación económica si cumple los correspondientes requisitos.

El artículo 48.4 del TRLET regula la suspensión del contrato de trabajo por nacimiento y cuidado de menor, con una duración ordinaria de 19 semanas, idéntica para ambos progenitores.

4.3.2. Beneficiarios

Serán beneficiarios del subsidio por nacimiento y cuidado de menor las personas incluidas en el Régimen General, cualquiera que sea su sexo, que disfruten de los descansos correspondientes, siempre que, además de reunir la condición general exigida en el artículo 165.1 del TRLGSS -deben hallarse en alta o situación asimilada al alta al inicio de cada uno de los periodos de descanso- y las demás que reglamentariamente se establezcan, acrediten los siguientes períodos mínimos de cotización:

Menos de 21 años

Si el trabajador tiene menos de 21 años de edad en la fecha del parto o en la fecha de la decisión administrativa o judicial de acogimiento o de la resolución judicial por la que se constituye la adopción, no se exigirá período mínimo de cotización.

Entre 21 y 26 años

Si el trabajador tiene cumplidos entre 21 y 26 años de edad en la fecha del parto o en la fecha de la decisión administrativa o judicial de acogimiento o de la resolución judicial por la que se constituye la adopción, el período mínimo de cotización exigido será de 90 días cotizados dentro de los siete años inmediatamente anteriores al momento de inicio del descanso. Se considerará cumplido el mencionado requisito si, alternativamente, el trabajador acredita 180 días cotizados a lo largo de su vida laboral, con anterioridad a esta última fecha.

Mayores de 26 años

Si el trabajador es mayor de 26 años de edad en la fecha del parto o en la fecha de la decisión administrativa o judicial de acogimiento o de la resolución judicial por la que se constituye la adopción, el período mínimo de cotización exigido será de 180 días dentro de los siete años inmediatamente anteriores al momento de inicio del descanso. Se considerará cumplido el mencionado requisito si, alternativamente, el trabajador acredita 360 días cotizados a lo largo de su vida laboral, con anterioridad a esta última fecha.

En el supuesto de nacimiento, la edad señalada en el apartado anterior será la que tenga cumplida la interesada en el momento de inicio del descanso, tomándose como referente el momento del parto a efectos de verificar la acreditación del período mínimo de cotización que, en su caso, corresponda. En los supuestos de adopción internacional previstos en el tercer párrafo del artículo 48.5 del TRLET, la edad será la que tengan cumplida los interesados en el momento de inicio del descanso, tomándose como referente el momento de la resolución a efectos de verificar la acreditación del período mínimo de cotización que, en su caso, corresponda.

4.3.3. Cuantía

La prestación económica por nacimiento y cuidado de menor consistirá en un subsidio equivalente al **100%** de la base reguladora correspondiente. A tales efectos, la base reguladora será equivalente a la que esté establecida para la prestación de incapacidad temporal, derivada de contingencias comunes.

No obstante, el subsidio podrá reconocerse por el Instituto Nacional de la Seguridad Social mediante resolución provisional teniendo en cuenta la última base de cotización por contingencias comunes que conste en las bases corporativas del sistema, en tanto no esté incorporada a las mismas la base de cotización por contingencias comunes correspondiente al mes inmediatamente anterior al del inicio del descanso o del permiso por nacimiento y cuidado de menor. Si posteriormente se comprobase que la base de cotización por contingencias comunes del mes inmediatamente anterior al de inicio del descanso o permiso fuese diferente a la utilizada en la resolución provisional, se recalculará la prestación y se emitirá resolución definitiva. Si la base no hubiese variado, la resolución provisional devendrá definitiva en un plazo de tres meses desde su emisión.

4.3.4. Suspensión y extinción del derecho

El derecho al subsidio por nacimiento y cuidado de menor podrá ser denegado, anulado o suspendido, cuando el beneficiario hubiera actuado fraudulentamente para obtener o conservar dicha prestación, así como cuando trabajara por cuenta propia o ajena durante los correspondientes períodos de descanso.

4.3.5. Gestión de la prestación

No cabrá fórmula alguna de colaboración en la gestión por parte de las empresas, siendo gestionadas las prestaciones económicas directamente por la entidad gestora respectiva. Ello supone que los trabajadores que se hallan en esta situación perciben la cuantía de la prestación directamente de la entidad gestora, por lo que el empresario deberá descontar en los documentos de cotización transmitidos telemáticamente a la Tesorería General de la Seguridad Social (aplicación SILTRA) la aportación correspondiente a la cuota del trabajador, puesto que al no haber abono de retribución resulta imposible descontarla previamente.

4.3.6. Supuesto especial

Finalmente hay que señalar que en los artículos 181 y 182 del TRLGSS -en la redacción dada a los mismos por el Real Decreto Ley 9/2025- se contempla un supuesto especial en el que se reconoce también el derecho al subsidio por nacimiento y cuidado de menor, a las personas trabajadoras que no acrediten el periodo mínimo de cotización, si bien en este caso la duración de la prestación será la que se corresponda con el periodo de descanso obligatorio, siempre a jornada completa- ampliable en 14 días naturales en supuestos de familias numerosas, monoparentalidad, nacimiento o adopción, guarda o acogimiento múltiples, y discapacidad en grado igual o superior al 65 por 100. La cuantía será igual al 100 por ciento del indicador público de renta de efectos múltiples vigente en cada momento -el IPREM vigente en 2026 es de 600,00 euros mensuales- salvo que la base reguladora fuese de cuantía inferior, en cuyo caso se estará a esta.

4.4. Corresponsabilidad en el cuidado del lactante

La prestación por corresponsabilidad en el cuidado de un lactante ha sido introducida por el Real Decreto Ley 6/2019, de 1 de marzo.

4.4.1. Situaciones protegidas

A efectos de la prestación económica por ejercicio corresponsable del cuidado del lactante, se considera situación protegida la reducción de la jornada de trabajo en media hora que, de acuerdo con lo previsto en el párrafo cuarto del artículo 37.4 del TRLET, lleven a cabo con la misma duración y régimen los dos progenitores, adoptantes, guardadores con fines de adopción o acogedores de carácter permanente, cuando ambos trabajen, para el cuidado del lactante desde que cumpla nueve meses hasta los doce meses de edad.

La prestación atiende el derecho, en los supuestos de nacimiento, adopción, guarda con fines de adopción o acogimiento, que tienen las personas trabajadoras a **una hora de ausencia del trabajo**, que podrán dividir en dos fracciones, para el cuidado del lactante hasta que este cumpla nueve meses. La duración del permiso se incrementará proporcionalmente en los casos de nacimiento, adopción, guarda con fines de adopción o acogimiento múltiples. Quien ejerza este derecho, por su voluntad, podrá sustituirlo por una reducción de su jornada en media hora con la misma finalidad o acumularlo en jornadas completas en los términos previstos en la negociación colectiva o en el acuerdo a que llegue con la empresa respetando, en su caso, lo establecido en aquella.

Esta reducción de jornada constituye un derecho individual de las personas trabajadoras sin que pueda transferirse su ejercicio al otro progenitor, adoptante, guardador o acogedor. No obstante, si dos personas trabajadoras de la misma empresa ejercen este derecho por el mis-

mo sujeto causante, la dirección empresarial podrá limitar su ejercicio simultáneo por razones justificadas de funcionamiento de la empresa, que deberá comunicar por escrito. Cuando ambos progenitores, adoptantes, guardadores o acogedores ejerzan este derecho con la misma duración y régimen, el periodo de disfrute podrá extenderse hasta que el lactante cumpla doce meses, con reducción proporcional del salario a partir del cumplimiento de los nueve meses.

La acreditación del ejercicio corresponsable del cuidado del lactante se realizará mediante certificación de la reducción de la jornada por las empresas en que trabajen sus progenitores, adoptantes, guardadores o acogedores. Reglamentariamente se determinarán los requisitos que deberá cumplir esta documentación.

4.4.2. Beneficiarios

Para el acceso al derecho a la prestación económica por ejercicio corresponsable del cuidado del lactante, se exigirán los mismos requisitos y en los mismos términos y condiciones que los establecidos para la prestación por nacimiento y cuidado de menor que hemos visto anteriormente. Cuando concurran en ambos progenitores, adoptantes, guardadores con fines de adopción o acogedores de carácter permanente, las circunstancias necesarias para tener la condición de beneficiarios de la prestación, el derecho a percibirla solo podrá ser reconocido a favor de uno de ellos.

4.4.3. Cuantía

La prestación económica por ejercicio corresponsable del cuidado de lactante consistirá en un subsidio equivalente al 100% de la base reguladora establecida para la prestación de incapacidad temporal derivada de contingencias comunes, y en proporción a la reducción que experimente la jornada de trabajo. Esta prestación se extinguirá cuando el o la menor cumpla doce meses de edad.

4.4.4. Gestión

Finalmente, la gestión de esta prestación económica corresponderá directa y exclusivamente a la entidad gestora correspondiente.

Un trabajador, que trabaja en una empresa desde hace más de cuatro años ininterrumpidamente, adoptará un hijo de 3 años en febrero de 2026, y se pregunta si tiene derecho a alguna prestación por esta adopción, o si por el hecho de que su pareja disfrutará de la suspensión del contrato de trabajo por adopción, él queda excluido de todo derecho.

Podrá acceder a la prestación por nacimiento y cuidado de menor, puesto que cumple los requisitos de alta y periodo previo de cotización. Al igual que su pareja, tendrá derecho a una suspensión de 16 semanas, siendo seis de ellas de obligado disfrute después de la adopción. Las diez semanas restantes se podrán disfrutar en periodos semanales, de forma acumulada o interrumpida, dentro de los doce meses siguientes a la resolución judicial por la que se constituya la adopción o bien a la decisión administrativa de guarda con fines de adopción o de acogimiento. Si ambos progenitores trabajaran para la misma empresa, esta podría limitar el disfrute simultáneo de las dieciséis semanas voluntarias por razones fundadas y objetivas, debidamente motivadas por escrito del 100% de su base reguladora, calculada sobre la base de cotización del trabajador en el mes anterior al del inicio del descanso por nacimiento y cuidado de menor.

Veamos un nuevo ejercicio de comprensión correspondiente a estas prestaciones de nacimiento y cuidado de menor y corresponsabilidad en el cuidado del lactante, en el que debemos resolver si los enunciados son verdaderos o falsos.

	VERDADERO	FALSO
La prestación por nacimiento y cuidado de menor únicamente la puede percibir la madre, en el caso de parto natural		
La prestación por nacimiento y cuidado de menor en un parto múltiple de dos hijos, tiene una duración ampliada en dos semanas por cada progenitor		
La prestación por nacimiento y cuidado de menor no se percibe en los casos de adopción		
La prestación por nacimiento y cuidado del menor no se percibe en los casos de adopción		
El porcentaje a aplicar sobre la base reguladora es mayor en el caso de la prestación por corresponsabilidad en el cuidado del lactante que en la de nacimiento y cuidado de menor		
Se ha incrementado la duración de la protección por responsabilidad en el cuidado del lactante en enero de 2026		
La prestación por corresponsabilidad en el cuidado del lactante no requiere que se trate de un caso de lactancia natural		

Veamos, a continuación, las soluciones:

	VERDADERO	FALSO
La prestación por nacimiento y cuidado de menor únicamente la puede percibir la madre, en el caso de parto natural		x
La prestación por nacimiento y cuidado de menor en un parto múltiple de dos hijos, tiene una duración ampliada en dos semanas por cada progenitor		x
La prestación por nacimiento y cuidado de menor no requiere periodos de cotización previos		x
La prestación por nacimiento y cuidado de menor no se percibe en los casos de adopción		x
El porcentaje a aplicar sobre la base reguladora es mayor en el caso de la prestación por corresponsabilidad en el cuidado del lactante que en la de nacimiento y cuidado de menor		x
Se ha incrementado la duración de la protección por responsabilidad en el cuidado del lactante en enero de 2026		x
La prestación por corresponsabilidad en el cuidado del lactante no requiere que se trate de un caso de lactancia natural	x	

4.5. Cuidado de menores afectados por cáncer u otra enfermedad grave

La Ley 39/2010, de 22 de diciembre, de Presupuestos Generales del Estado para 2011, creó una nueva prestación, denominada "Cuidado de menores afectados por cáncer u otra enfermedad grave", que ahora está regulada en los artículos 190 a 192 del TRLGSS y en el Real Decreto 1148/2011, de 29 de julio, -modificado por el Real Decreto 677/2023, de 18 de julio- para la aplicación y desarrollo, en el sistema de la Seguridad Social, de la prestación económica por cuidado de menores afectados por cáncer u otra enfermedad grave. La Orden TMS/103/2019, de 6 de febrero, contiene el modelo de Declaración médica para el cuidado de menores afectados de cáncer u otra enfermedad grave, necesario para la tramitación de la prestación. Además, ha actualizado el listado de las enfermedades que dan derecho a la misma, que son las siguientes:

I. **Oncología:**

1. Leucemia linfoblástica aguda.

2. Leucemia aguda no linfoblástica.

3. Linfoma no Hodgkin.

4. Enfermedad de Hodgkin.

5. Tumores del Sistema Nervioso Central.

6. Retinoblastomas.

7. Tumores renales.

8. Tumores hepáticos.

9. Tumores óseos.

10. Sarcomas de tejidos blandos.

11. Tumores de células germinales.

12. Cualquier otra enfermedad oncológica grave que, por indicación expresa facultativa, como en las anteriores, precise de cuidados permanentes en régimen de ingreso hospitalario u hospitalización a domicilio.

II. **Hematología:**

13. Aplasia medular grave (constitucional o adquirida).

14. Neutropenias constitucionales graves.

15. Hemoglobinopatías constitucionales graves.

15 bis. Cualquier otra enfermedad hematológica grave que, por indicación expresa facultativa, como en las anteriores, precise de cuidados permanentes en régimen de ingreso hospitalario u hospitalización a domicilio.

III. **Errores innatos del metabolismo:**

16. Desórdenes de aminoácidos (fenilcetonuria, tirosinemia, enfermedad de la orina con olor a jarabe de arce, homocistinuria y otros desórdenes graves).

17. Desórdenes del ciclo de la urea (OTC).

18. Desórdenes de los ácidos orgánicos.

19. Desórdenes de carbohidratos (glucogenosis, galactosemia, intolerancia hereditaria a la fructosa y otros desórdenes graves).

20. Alteraciones glicosilación proteica.

21. Enfermedades lisosomiales (mucopolisacaridosis, oligosacaridosis, esfingolipidosis y otras enfermedades graves).

22. Enfermedades de los peroxisomas (síndrome de Zellweger, condrodisplasia punctata, adenoleucodistrofia ligada a X, enfermedad de Refsum y otros desórdenes graves).

23. Enfermedades mitocondriales: por defecto de oxidación de los ácidos grasos y de transporte de carnitina, por alteración del DNA mitocondrial, por mutación del DNA nuclear.

23 bis. Cualquier otro error innato del metabolismo grave que, por indicación expresa facultativa, como en los anteriores, precise de cuidados permanentes en régimen de ingreso hospitalario u hospitalización a domicilio.

IV. Alergia e inmunología:

24. Alergias alimentarias graves sometidas a inducción de tolerancia oral.

25. Asma bronquial grave.

26. Inmunodeficiencias primarias por defecto de producción de anticuerpos.

27. Inmunodeficiencias primarias por defecto de linfocitos T.

28. Inmunodeficiencias por defecto de fagocitos.

29. Otras inmunodeficiencias:

    a) Síndrome de Wisccott-Aldrich.

    b) Defectos de reparación del ADN (ataxia-telangiectasia).

    c) Síndrome de Di George.

    d) Síndrome de HiperIgE.

    e) Síndrome de IPEX.

30. Síndromes de disregulación inmune y linfoproliferación.

30 bis. Cualquier otra enfermedad alérgica e inmunológica graves que, por indicación expresa facultativa, como en las anteriores, precise de cuidados permanentes en régimen de ingreso hospitalario u hospitalización a domicilio.

V. Psiquiatría:

31. Trastornos de la conducta alimentaria.

32. Trastorno de conducta grave.

33. Trastorno depresivo mayor.

34. Trastorno psicótico.

35. Trastorno esquizoafectivo.

35 bis. Cualquier otra enfermedad psiquiátrica grave que, por indicación expresa facultativa, como en las anteriores, precise de cuidados permanentes en régimen de ingreso hospitalario u hospitalización a domicilio.

VI. **Neurología:**

36. Malformaciones congénitas del Sistema Nervioso Central.

37. Traumatismo craneoencefálico severo.

38. Lesión medular severa.

39. Epilepsias:

   a) Síndrome de West.

   b) Síndrome de Dravet.

   c) Síndrome de Lennox-Gastaut.

   d) Epilepsia secundaria a malformación o lesión cerebral.

   e) Síndrome de Rassmussen.

   f) Encefalopatías epilépticas.

   g) Epilepsia secundaria a enfermedades metabólicas.

   h) Otras epilepsias bien definidas.

40. Enfermedades autoinmunes:

   a) Esclerosis múltiple.

   b) Encefalomielitis aguda diseminada.

   c) Guillain-Barré.

   d) Polineuropatía crónica desmielinizante.

   e) Encefalitis límbica.

41. Enfermedades neuromusculares:

   a) Atrofia muscular espinal infantil.

   b) Enfermedad de Duchenne.

42. Infecciones y parasitosis del Sistema Nervioso Central (meningitis, encefalitis, parásitos y otras infecciones).

43. Accidente cerebrovascular.

44. Parálisis cerebral infantil.

45. Narcolepsia-cataplejia.

45 bis. Cualquier otra enfermedad neurológica y/ o neuromuscular grave que, por indicación expresa facultativa, como en las anteriores, precise de cuidados permanentes en régimen de ingreso hospitalario u hospitalización a domicilio.

VII. Cardiología:

46. Cardiopatías congénitas con disfunción ventricular.

47. Cardiopatías congénitas con hipertensión pulmonar.

48. Otras cardiopatías congénitas graves.

49. Miocardiopatías con disfunción ventricular o arritmias graves.

50. 5Cardiopatías con disfunción cardiaca y clase funcional III-IV.

51. Trasplante cardiaco.

51 bis. Cualquier otra enfermedad cardiológica grave que, por indicación expresa facultativa, como en las anteriores, precise de cuidados permanentes en régimen de ingreso hospitalario u hospitalización a domicilio.

VIII. Aparato respiratorio:

52. Fibrosis quística.

53. Neumopatías intersticiales.

54. Displasia broncopulmonar.

55. Hipertensión pulmonar.

56. Bronquiectasias.

57. Enfermedades respiratorias de origen inmunológico:

   a) Proteinosis alveolar.

   b) Hemosiderosis pulmonar.

c) Sarcoidosis.

d) Colagenopatías.

58. Trasplante de pulmón.

59. Cualquier otra enfermedad del aparato respiratorio grave que, por indicación expresa facultativa, como en las anteriores, precise de cuidados permanentes en régimen de ingreso hospitalario u hospitalización a domicilio.

IX. Aparato digestivo:

60. Resección intestinal amplia.

61. Síndrome de dismotilidad intestinal grave (pseudo-obstrucción intestinal).

62. Diarreas congénitas graves.

63. Trasplante intestinal.

64. Hepatopatía grave.

65. Trasplante hepático.

66. Cualquier otra enfermedad del aparato digestivo grave que, por indicación expresa facultativa, como en las anteriores, precise de cuidados permanentes en régimen de ingreso hospitalario u hospitalización a domicilio.

X. Nefrología:

67. Enfermedad renal crónica terminal en tratamiento sustitutivo.

68. Trasplante renal.

69. Enfermedad renal crónica en el primer año de vida.

70. Síndrome nefrótico del primer año de vida.

71. Síndrome nefrótico corticorresistente y corticodependiente.

72. Tubulopatías de evolución grave.

73. Síndrome de Bartter.

74. Cistinosis.

75. Acidosis tubular renal.

76. Enfermedad de Dent.

77. Síndrome de Lowe.

78. Hipomagnesemia con hipercalciuria y nefrocalcinosis.

79. Malformaciones nefrourológicas complejas.

80. Síndromes polimalformativos con afectación renal.

81. Vejiga neurógena.

82. Defectos congénitos del tubo neural.

83. Cualquier otra enfermedad nefrológica grave que, por indicación expresa facultativa, como en las anteriores, precise de cuidados permanentes en régimen de ingreso hospitalario u hospitalización a domicilio.

XI. Reumatología:

84. Artritis idiopática juvenil (AIJ).

85. Lupus eritematoso sistémico.

86. Dermatomiositis juvenil.

87. Enfermedad mixta del tejido conectivo.

88. Esclerodermia sistémica.

89. Enfermedades autoinflamatorias (Fiebre Mediterránea Familiar, Amiloidosis y otras enfermedades autoinflamatoras graves).

90. Síndrome de Behçet.

91. Cualquier otra enfermedad reumatológica grave que, por indicación expresa facultativa, como en las anteriores, precise de cuidados permanentes en régimen de ingreso hospitalario u hospitalización a domicilio.

XII. Cirugía:

92. Cirugía de cabeza y cuello: hidrocefalia/válvulas de derivación, mielomeningocele, craneoestenosis, labio y paladar hendido, reconstrucción de deformidades craneofaciales complejas, etc.

93. Cirugía del tórax: deformidades torácicas, hernia diafragmática congénita, malformaciones pulmonares, etc.

94. Cirugía del aparato digestivo: atresia esofágica, cirugía antirreflujo, defectos de pared abdominal, malformaciones intestinales (atresia, vólvulo, duplicaciones), obstrucción intestinal, enterocolitis necrotizante, cirugía de la enfermedad inflamatoria intestinal, fallo intestinal, Hirschprung, malformaciones anorrectales, atresia vías biliares, hipertensión portal, etc.

95. Cirugía nefro-urológica: malformaciones renales y de vías urinarias.

96. Cirugía del politraumatizado.

97. Cirugía de las quemaduras graves.

98. Cirugía de los gemelos siameses.

99. Cirugía ortopédica: cirugía de las displasias esqueléticas, escoliosis, displasia del desarrollo de la cadera, cirugía de la parálisis cerebral, enfermedades neuromusculares y espina bífida, infecciones esqueléticas y otras cirugías ortopédicas complejas.

100. Cirugía de otros trasplantes: válvulas cardíacas, trasplantes óseos, trasplantes múltiples de diferentes aparatos.

100 bis. Cualquier otro procedimiento quirúrgico por patologías graves que, por indicación expresa facultativa, como en los anteriores, precise de cuidados permanentes en régimen de ingreso hospitalario u hospitalización a domicilio.

XIII. Cuidados paliativos:

101. Cualquier enfermedad grave que dé lugar a la necesidad de cuidados paliativos en la fase final de la vida del paciente que, por indicación expresa facultativa, precise de cuidados permanentes en régimen de ingreso hospitalario u hospitalización a domicilio.

XIV. Neonatología:

102. Grandes prematuros, nacidos antes de las 32 semanas de gestación o con un peso inferior a 1.500 gramos y prematuros que requieran ingresos prolongados por complicaciones secundarias a la prematuridad.

102 bis. Cualquier otra enfermedad neonatológica grave que, por indicación expresa facultativa, como en las anteriores, precise de cuidados permanentes en régimen de ingreso hospitalario u hospitalización a domicilio.

XV. Enfermedades infecciosas:

103. Infección por VIH.

104. Tuberculosis.

105. Neumonías complicadas.

106. Osteomielitis y artritis sépticas.

107. Endocarditis.

108. Pielonefritis complicadas.

109. Sepsis.

109 bis. Cualquier otra enfermedad infecciosa grave que, por indicación expresa facultativa, como en las anteriores, precise de cuidados permanentes en régimen de ingreso hospitalario u hospitalización a domicilio.

XVI. Endocrinología:

110. Diabetes Mellitus tipo I.

110 bis. Cualquier otra enfermedad endocrinológica grave que, por indicación expresa facultativa, como en las anteriores, precise de cuidados permanentes en régimen de ingreso hospitalario u hospitalización a domicilio.

XVII. Trastornos de base genética:

111. Síndrome de Smith-Magenis.

112. Epidermólisis bullosa.

113. Cualquier otro trastorno de base genética grave que, por indicación expresa facultativa, como en las anteriores, precise de cuidados permanentes en régimen de ingreso hospitalario u hospitalización a domicilio.

El régimen jurídico de esta prestación es el siguiente:

❑ **Prestación económica para cuidado del menor**

Se reconocerá una prestación económica a los progenitores, adoptantes o acogedores de carácter preadoptivo o permanente, en aquellos casos en que ambos trabajen, para el cuidado del menor/es que estén a su cargo y se encuentren afectados por cáncer (tumores malignos, melanomas y carcinomas), o por cualquier otra enfermedad grave –se determinará reglamentariamente qué enfermedades tienen esta consideración a los efectos de esta prestación– que requiera ingreso hospitalario de larga duración, durante el tiempo de hospitalización y tratamiento continuado de la enfermedad, acreditado por el informe del Servicio Público de Salud u órgano administrativo sanitario de la Comunidad Autónoma correspondiente.

❑ **Reducción de jornada de trabajo**

Será requisito indispensable que el beneficiario reduzca su jornada de trabajo, al menos, en un 50% de su duración, a fin de que se dedique al cuidado directo, continuo y permanente, del menor.

❑ **Mismos requisitos que para la prestación de nacimiento y cuidado de menor contributiva**

Para el acceso al derecho a esta prestación se exigirán los mismos requisitos y en los mismos términos y condiciones que los establecidos para la prestación de nacimiento y cuidado de menor contributiva.

❑ **Subsidio equivalente al 100% de la base reguladora**

La prestación económica consistirá en un subsidio equivalente al 100% de la base reguladora equivalente a la establecida para la prestación de incapacidad temporal, derivada de contingencias profesionales, y en proporción a la reducción que experimente la jornada de trabajo.

❑ **Extinción prestación al cesar necesidad del cuidado directo**

Esta prestación se extinguirá cuando, previo informe del Servicio Público de Salud u órgano administrativo sanitario de la Comunidad Autónoma correspondiente, cese la necesidad del cuidado directo, continuo y permanente, del hijo o del menor acogido por parte del beneficiario, o cuando el causante cumpla 23 años. En este sentido, la Disposición Final Segunda de la Ley 22/2021 ha ampliado la edad del causante hasta estos 23 años. Además, el Real Decreto Ley 2/2023 ha establecido que se puede reconocer esta prestación incluso una vez cumplidos los 18 años, y hasta el cumplimiento de los 23, siempre que el diagnóstico se hubiera efectuado antes de alcanzar los 18 años de edad. En el caso de personas con discapacidad en grado igual o superior al 65 por 100, la edad límite pasa a ser de 26 años.

❑ **Derecho de la prestación para uno de los dos progenitores**

Cuando concurran en ambos progenitores, adoptantes o acogedores de carácter preadoptivo o permanente, las circunstancias necesarias para tener la condición de beneficiarios de la prestación, el derecho a percibirla solo podrá ser reconocido a favor de uno de ellos.

❑ **Gestión y pago correspondiente a la mutua o a la entidad gestora**

La gestión y el pago de la prestación económica corresponderá a la Mutua Colaboradora con la Seguridad Social o, en su caso, a la Entidad Gestora con la que la empresa tenga concertada la cobertura de los riesgos profesionales.

4.6. Incapacidad permanente

Hay que comenzar señalando que, en este caso, nos encontramos con una prestación que se da en los **dos niveles de protección**:

❑ En el nivel contributivo: se denomina incapacidad permanente (IP).

❑ En el nivel no contributivo: se denomina incapacidad.

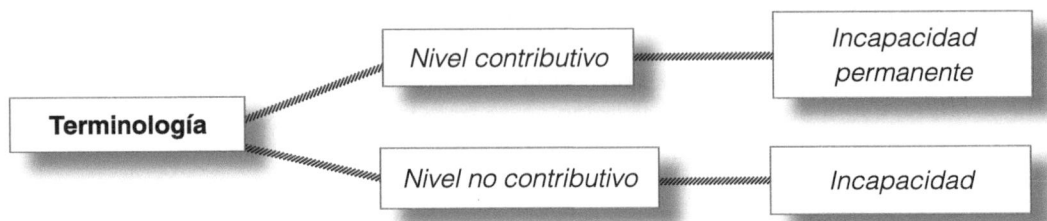

4.6.1. Incapacidad permanente (nivel contributivo)

Se regula en los artículos 193 a 200 del TRLGSS.

Según el artículo 193 del TRLGSS, en la modalidad contributiva, es Incapacidad Permanente la situación del trabajador que, después de haber estado sometido al tratamiento prescrito, presenta reducciones anatómicas o funcionales graves, susceptibles de determinación objetiva y previsiblemente definitivas, que disminuyan o anulen su capacidad laboral. No obstará a tal calificación la posibilidad de recuperación de la capacidad laboral de la persona incapacitada, si dicha posibilidad se estima médicamente como incierta o a largo plazo.

Las reducciones anatómicas o funcionales existentes en la fecha de la afiliación del interesado en la Seguridad Social no impedirán la calificación de la situación de incapacidad permanente, cuando se trate de personas con discapacidad y con posterioridad a la afiliación tales reducciones se hayan agravado, provocando por sí mismas o por concurrencia con nuevas lesiones o patologías una disminución o anulación de la capacidad laboral que tenía el interesado en el momento de su afiliación.

A) Grados de incapacidad

Los grados de incapacidad están en función de las reducciones anatómicas o funcionales sufridas por los trabajadores, siempre que disminuyan o anulen su capacidad laboral:

❑ Incapacidad permanente parcial.

❑ Incapacidad permanente total para la profesión que ejercía el interesado, o del grupo profesional en que aquella estaba encuadrada.

❑ Incapacidad permanente absoluta para todo trabajo.

❑ Gran incapacidad

Grados de incapacidad permanente

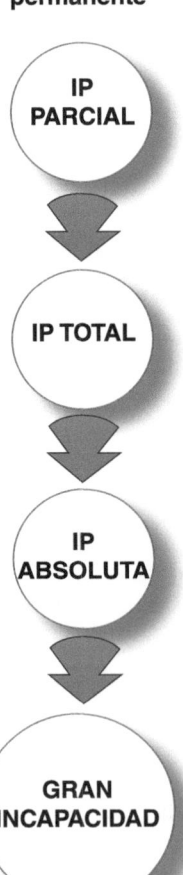

A efectos de la determinación del grado de la incapacidad, se tendrá en cuenta la incidencia de la reducción de la capacidad de trabajo en el desarrollo de la profesión que ejercía el interesado o del grupo profesional en que aquella estaba encuadrada, antes de producirse el hecho causante de la incapacidad permanente.

Mientras el trabajador que sufre una incapacidad permanente parcial percibe como prestación una cantidad o tanto alzado, en los otros tres casos –total, absoluta y gran incapacidad– cobrará una pensión vitalicia, si bien en el caso de la IP total puede substituirse por una indemnización a tanto alzado.

Por lo que se refiere a las prestaciones a que dan lugar cada una de estas situaciones, son las siguientes:

- **IP parcial para la profesión habitual**

— **Concepto**

Es aquella incapacidad que, sin alcanzar el grado de total origina al trabajador una disminución no inferior al 33% en el rendimiento normal para dicha profesión, sin impedir la realización de las tareas fundamentales de la misma.

— **Requisitos**

1. Hallarse el trabajador afiliado y en alta o en situación asimilada al alta.

2. Tener cubierto el periodo mínimo de cotización -"carencia"- exigido en cada caso, teniendo en cuenta que, a estos efectos, en los contratos de carácter temporal cuya duración efectiva sea igual o inferior a cinco días, cada día de trabajo se considerará como 1,4 días de cotización, sin que en ningún caso pueda computarse mensualmente un número de días mayor que el que corresponda al mes respectivo. En el caso de prestación por incapacidad permanente parcial para la profesión habitual derivada de enfermedad común, el período mínimo de cotización exigible será de 1.800 días, que han de estar comprendidos en los diez años inmediatamente anteriores a la fecha en la que se haya extinguido la incapacidad temporal de la que se derive la incapacidad permanente. En el caso de pensiones por incapacidad permanente, el período mínimo de cotización exigible será el establecido en el artículo 195.3 del TRLGSS, que veremos más adelante. Recordemos que si la incapacidad está motivada por accidente, sea o no de trabajo, o enfermedad profesional, no se exige período de cotización ninguno.

3. En los supuestos en los que se acceda a la pensión de incapacidad permanente desde una situación de alta o asimilada al alta, sin obligación de cotizar, el periodo de los 10 años, dentro de los cuales deba estar comprendido, al menos, una quinta

parte del periodo de cotización exigible, se computará hacia atrás, desde la fecha en que cesó la obligación de cotizar.

— Prestación

Consiste en una cantidad a tanto alzado, correspondiente a 24 mensualidades de la Base Reguladora que sirvió para el cálculo de la prestación de IT de la que se derive, o de la que hubiera correspondido de haber tenido derecho a dicha prestación.

— Compatibilidad

La prestación por incapacidad permanente parcial es compatible con el desarrollo de cualquier tipo de actividad laboral.

• IP total para la profesión habitual

— Concepto

Inhabilita al trabajador para la realización de todas o de las fundamentales tareas de dicha profesión, pudiendo dedicarse a otra distinta. Es cualificada si se trata de un trabajador mayor de 55 años en situación de desempleo como consecuencia de su falta de cualificación o por presunta dificultad para acceder al empleo.

— Requisitos

1. Hallarse el trabajador afiliado y en alta o en situación asimilada al alta.

2. Si el origen de la incapacidad es una enfermedad común, se exige además un periodo de cotización mínimo:

   ♦ Trabajador menor de 31 años: la tercera parte del tiempo transcurrido entre la fecha en que cumplió los dieciséis años y la del hecho causante de la pensión.

   ♦ Trabajador que tiene cumplidos 31 años: un cuarto del tiempo transcurrido entre la fecha en que cumplió los 20 años y el día en que se hubiese producido el hecho causante, con un mínimo en todo caso de 5 años, debiendo estar comprendido un quinto del período de cotización exigido dentro de los 10 años inmediatamente anteriores al hecho causante. Las fracciones de edad del beneficiario en la fecha del hecho causante que sean inferiores a medio año, no se tendrán en cuenta, y las que sean superiores a 6 meses se considerarán equivalentes a medio año, excepto en el caso de beneficiarios con edades comprendidas entre los 16 y los 16 años y medio. El período de cotización, recordémoslo una vez más, solo se exige si la incapacidad deriva de enfermedad común.

— Prestaciones

❏ Pensión, cuya cuantía es del 55% de la Base Reguladora, calculada esta de acuerdo con lo establecido en el artículo 197 del TRLGSS.

❏ Si la incapacidad permanente total es cualificada, la pensión se incrementa en un 20%.

Las causas que convierten a la incapacidad permanente total en cualificada son las siguientes:

a) Tener cumplidos 55 años.

b) No tener empleo.

❏ Existe la posibilidad de sustituir la pensión vitalicia por una cantidad a tanto alzado cuando el trabajador tenga menos de 60 años y lo solicite en los tres años siguientes al reconocimiento o al cumplimiento de los 21 años, siempre que el interesado trabaje. El importe de esta indemnización a tanto alzado es el siguiente:

Edad	Mensualidades de pensión
Menor 54	84
54	72
55	60
56	48
57	36
58	24
59	12

— Compatibilidad

La pensión por incapacidad permanente total para la profesión habitual será compatible con el salario que pueda percibir el trabajador en la misma empresa o en otra distinta, siempre y cuando las funciones no coincidan con aquellas que dieron lugar a la incapacidad permanente total. También es compatible con la prestación por desempleo que se pueda percibir como consecuencia de haber pasado el trabajador a tal situación, siempre que la IP fuera compatible con el trabajo que originó dicha prestación.

• IP absoluta para todo trabajo

— Concepto

Inhabilita por completo al trabajador para toda profesión u oficio.

— Requisitos

Para la concesión de la prestación deberán tener efectuadas las siguientes prestaciones:

❑ Si el trabajador está en alta o en situación asimilada a la de alta y la incapacidad está motivada por enfermedad común, se exige el mismo período que para la incapacidad permanente total. Si la incapacidad deriva de accidente, sea o no laboral, o de enfermedad profesional no se exige período de cotización.

❑ Si el trabajador no está en alta ni situación asimilada a la de alta y la incapacidad viene motivada por enfermedad común o accidente no laboral se requieren tener cotizados 15 años, de los cuales al menos la quinta parte debe estar comprendida dentro de los 10 años inmediatamente anteriores al hecho causante.

— Prestación

Pensión vitalicia del 100% de la Base Reguladora, calculada esta de acuerdo con lo establecido en el artículo 197 del TRLGSS.

— Compatibilidad

Las pensiones por incapacidad permanente absoluta son compatibles con el ejercicio de aquellas actividades, lucrativas o no, compatibles con el estado del incapacitado, y que no representen un cambio en su capacidad de trabajo, a efectos de una posible revisión. No obstante, hay que tener en cuenta que el Tribunal Supremo, en Sentencia de 11 de abril de 2024, ha determinado que las personas con IP absoluta y gran incapacidad no pueden compatibilizar la percepción de sus pensiones con el desarrollo de cualquier trabajo que comporte el alta en el sistema de Seguridad Social. A partir de la edad de acceso a la pensión de jubilación, será incompatible con el desempeño por el pensionista de un trabajo, por cuenta propia o por cuenta ajena, que determine su inclusión en alguno de los regímenes del Sistema de la Seguridad Social, en los mismos términos y condiciones que los regulados para la pensión de jubilación en su modalidad contributiva.

• Gran incapacidad

— Concepto

Implica pérdida de la autonomía vital del individuo, el cual necesita de otra persona para realizar los actos más esenciales de la vida, tales como vestirse, desplazarse, comer o análogos.

EDITORIAL

— Prestación

Dará lugar a la misma pensión indicada para la incapacidad permanente absoluta, incrementándose su cuantía con un complemento, destinado a que el incapacitado pueda remunerar a la persona que le atienda. El importe de dicho complemento será equivalente al resultado de sumar el 45% de la base mínima de cotización vigente en el momento del hecho causante y el 30% de la última base de cotización del trabajador correspondiente a la contingencia de la que derive la situación de incapacidad permanente. En ningún caso el complemento señalado podrá tener un importe inferior al 45% de la pensión percibida, sin el complemento, por el trabajador. Este complemento puede ser sustituido, a petición del gran incapacitado o de sus representantes legales, por su alojamiento y cuidado en régimen de internado en una institución asistencial pública de la Seguridad Social, financiada con cargo a sus presupuestos.

— Período de cotización exigido en el caso de que el origen de la incapacidad sea una enfermedad común

El mismo que hemos indicado para la incapacidad permanente absoluta.

— Compatibilidad

En esta materia, estas pensiones tienen el mismo régimen jurídico que las de incapacidad permanente absoluta.

Realizaremos, a continuación, un ejercicio de comprensión, completando el siguiente cuadro:

	TIPO DE PRESTACIÓN	CUANTÍA
I.P. PARCIAL		
I.P. TOTAL		
I.P. TOTAL CUALIFICADA		
I.P. ABSOLUTA		
GRAN INCAPACIDAD		

 *Veamos a continuación su solución:*

	TIPO DE PRESTACIÓN	CUANTÍA
I.P. PARCIAL	Indemnización	24 mensualidades de B.R. DE LA I.T.
I.P. TOTAL	Pensión o indemnización	55% DE LA B.R. 12-84 mensualidades
I.P. TOTAL CUALIFICADA	Pensión	55% + 20% DE LA B.R.
I.P. ABSOLUTA	Pensión	100% BR
GRAN INCAPACIDAD	Pensión	100% BR + 45% B.mín + 30% BC

CUADRO RESUMEN GRADOS DE INCAPACIDAD PERMANENTE (NIVEL CONTRIBUTIVO)				
	Concepto	**Requisitos**	**Prestaciones**	**Compatibilidad**
IP PARCIAL	Incapacidad que origina al trabajador una disminución no inferior al 33%.	Alta o en situación asimilada al alta. Si la incapacidad está motivada por enfermedad común, el período mínimo de cotización es 1.800 días. Situación de alta, sin obligación de cotizar, se computará hacia atrás, desde la fecha en que cesó la obligación de cotizar.	Cantidad a tanto alzado, correspondiente a 24 mensualidades de la Base Reguladora.	Compatible con el desarrollo de cualquier tipo de actividad laboral.

CUADRO RESUMEN GRADOS DE INCAPACIDAD PERMANENTE (NIVEL CONTRIBUTIVO)				
	Concepto	**Requisitos**	**Prestaciones**	**Compatibilidad**
IP TOTAL	Inhabilita al trabajador para la realización de todas o de las fundamentales tareas de dicha profesión, pudiendo dedicarse a otra distinta.	Alta o en situación asimilada al alta. Acreditar un período de cotización mínimo según seas mayor o menor de 31 años.	Pensión, cuya cuantía es del 55% de la Base Reguladora. Si la incapacidad permanente total es cualificada, la pensión se incrementa en un 20%. Posibilidad de sustituir la pensión vitalicia por una cantidad a tanto alzado cuando el trabajador tenga menos de 60 años.	Compatible con el salario que pueda percibir el trabajador en la misma empresa o en otra distinta, siempre y cuando las funciones no coincidan con aquellas que dieron lugar a la incapacidad permanente total.
IP ABSOLUTA	Inhabilita por completo al trabajador para toda profesión u oficio.	Situación de alta. Si la incapacidad está motivada por enfermedad común, igual incapacidad permanente total. Si el trabajador no está en alta y la incapacidad viene motivada por enfermedad común o accidente no laboral se requieren tener cotizados 15 años.	Pensión vitalicia del 100% de la Base Reguladora.	Las pensiones por incapacidad permanente absoluta son compatibles con el ejercicio de aquellas actividades, lucrativas o no, compatibles con el estado del incapacitado, y que no representen un cambio en su capacidad de trabajo, a efectos de una posible revisión.

CUADRO RESUMEN GRADOS DE INCAPACIDAD PERMANENTE (NIVEL CONTRIBUTIVO)				
	Concepto	Requisitos	Prestaciones	Compatibilidad
GRAN INCAPACIDAD	Implica pérdida de la autonomía vital del individuo, el cual necesita de otra persona para realizar los actos más esenciales de la vida, tales como vestirse, desplazarse, comer o análogos.	Dará lugar a la misma pensión indicada para la incapacidad permanente absoluta, incrementando su cuantía con un complemento, destinado a que el incapacitado pueda remunerar a la persona que le atienda.	El mismo que hemos indicado para la incapacidad permanente absoluta.	Mismo régimen jurídico que las de incapacidad permanente absoluta.

B) Importes mínimos

Existen unos importes mínimos para estas pensiones, siempre que no se supere el límite de ingresos establecido, mediante el reconocimiento de los denominados "complementos a mínimos". Ese límite de ingresos es, para 2026, el siguiente:

❑ Sin cónyuge a cargo: 9.442,00 euros/año.

❑ Con cónyuge a cargo: 11.013,00 euros/año.

Las cuantías máxima y mínima de las pensiones para el año 2026, hasta que sea aprobada, en su caso, la Ley de Presupuestos, se ha regulado en el Real Decreto Ley 3/2026, de 3 de febrero. La cuantía máxima de las pensiones del sistema de Seguridad Social durante este ejercicio estará limitada a **3.359,60 euros mensuales o 47.034,40 euros anuales.**

Los **importes mínimos** para las pensiones de incapacidad permanente durante el año 2026 son los siguientes:

CLASE DE PENSIÓN	TITULARES		
	Con cónyuge a cargo – Euros/año	Sin cónyuge: Unidad económica unipersonal – Euros/año	Con cónyuge no a cargo – Euros/año
Incapacidad Permanente			
Gran invalidez	26.385,80	19.660,20	18.662,00
Absoluta	17.592,40	13.106,80	12.441,80
Total: Titular con sesenta y cinco años	17.592,40	13.106,80	12.441,80
Total: Titular con edad entre sesenta y sesenta y cuatro años	17.592,40	12.262,60	11.590,60
Total: Derivada de enfermedad común menor de sesenta años	9.662,80	9.662,80	9.580,20
Parcial del régimen de accidentes de trabajo: Titular con sesenta y cinco años	17.592,40	13.106,80	12.441,80

La cuantía de la pensión de incapacidad permanente total derivada de enfermedad común no podrá resultar inferior al importe mínimo fijado anualmente en la Ley de Presupuestos Generales del Estado para la pensión de incapacidad permanente total derivada de enfermedad común de titulares menores de sesenta años con cónyuge no a cargo.

Hay que tener en cuenta en todos los casos de IP que toda resolución, inicial o de revisión, por la que se reconozca el derecho a las prestaciones de incapacidad permanente, en cualquiera de sus grados o se confirme el grado reconocido previamente, hará constar necesariamente el plazo a partir del cual se podrá instar la revisión por agravación o mejoría del estado incapacitante profesional, en tanto que el incapacitado no haya cumplido la edad mínima para acceder al derecho a la pensión de jubilación. Este plazo será vinculante para todos los sujetos que puedan promover la revisión.

Finalmente, hay que tener en cuenta que, desde la entrada en vigor de la Ley 2/2025, de 29 de abril, el artículo 49.1.n del TRLET establece que la declaración de gran incapacidad, incapacidad permanente absoluta o total de la persona trabajadora, sin perjuicio de lo dispuesto en el artículo 48.2 del propio TRLET, únicamente extinguirá el contrato de trabajo cuando no sea posible realizar los ajustes razonables por constituir una carga excesiva para la empresa, cuando no exista un puesto de trabajo vacante y disponible, acorde con el perfil profesional y compatible con la nueva situación de la persona trabajadora o cuando existiendo dicha posibilidad la persona trabajadora rechace el cambio de puesto de trabajo adecuadamente propuesto.

INCAPACIDAD PERMANENTE CONTRIBUTIVA - Art. 194 y ss TRLGSS			
	Concepto	**Carencia**	**Base Reguladora**
Incapacidad Permanente Parcial (IPP)	Disminución no inferior al 33% para el rendimiento normal de la profesión	Solo derivada de enfermedad común: 1.800 días en los 10 años anteriores a la fecha de la extinción de la IT No carencia en EP y accidente, sea o no laboral	BR de la IT
Incapacidad Permanente Total (IPT)	Inhabilita para la realización de todas o de las fundamentales tareas de la profesión, siempre que pueda dedicarse a otra distinta. Cualificada: - mayor 55 años - no tener empleo	IPT - IPA - GI **1. Situación alta o asimilado a alta en enfermedad común:** a) Menor 31 años: fecha hecho causante – fecha en que cumplió 16 años (=edad-16) $\dfrac{}{3}$ b) 31 o más años: fecha hecho causante – fecha en que cumplió 20 años (=edad-20) $\dfrac{}{4}$ * Como mínimo 5 años * 1/5 del periodo de cotización exigido dentro de los 10 años inmediatamente anteriores al hecho causante Si se proviene de una situación alta o asimilado al alta sin obligación de cotizar, los 10 años se cuentan desde que ceso la oblicación de cotizar **2. Situación alta o asimilado a alta en AT, EP o accidente no laboral:** * No carencia	IPT - IPA - GI **1. IP derivada de enfermedad común** Σ Bases de 96 meses inmediatamente anteriores al hecho causante $BR= \dfrac{}{112}$
Incapacidad Permanente Absoluta (IPA)	Inhabilita por completo al trabajador para toda profesión		**2. IP derivada de accidente no laboral** Hay que distinguir entre: a) Si el trabajador está en situación de alta o asimilada al alta Σ Bases de 24 meses de cotización ininterrumpidas $BR= \dfrac{}{28}$ b) Si no alta Σ Bases de 96 meses $BR= \dfrac{}{112}$
Gran Incapacidad (GI)	Pérdida de la autonomía vital del individuo, el cual necesita de otra persona para realizar los actos más esenciales de la vida (vestirse, desplazarse, comer o análogos)	IPA - GI **3. Situación no alta (enfermedad común y accidente no laboral):** * 15 años de cotización * 3 años deben estar comprendidos en los 10 años anteriores al hecho causante	**3. IP derivadas de AT y EP** **Salario real anual (Σ devengos brutos del último año)** $BR= \dfrac{}{12}$ * Se escoge la BCC o BCP en función de la contingencia * Las bases de 24 meses inmediatamente anteriores no se acualizan, las restantes bases se actualizarán de acuerdo con la evolución del IPC

INCAPACIDAD PERMANENTE CONTRIBUTIVA - ART. 194 Y SS TRLGSS *(continuación)*		
	Prestación	**Extinción de Prestación**
Incapacidad Permanente Parcial (IPP)	Cantidad a tanto alzado de 24 meses de la BR que se utilizó para la IT	Se agota con la percepción de la prestación
Incapacidad Permanente Total (IPT)	IPT - 55% BR Cualificada: 55% BR + 20% (=75% BR)	
Incapacidad Permanente Absoluta (IPA)	Posibilidad de sustituir pensión vitalicia por una cantidad a tanto alzado: • Cuando el trabajador sea menor de 60 años y se solicite en los 3 años siguientes al reconocimiento. • A los menores de 21 años de edad según tablas pág. 90.	• Por fallecimiento • Revisión IP • Curación total • Causas derecho a la jubilación
	IPA - 100% BR	
Gran Incapacidad (GI)	GI - 100% BR + complemento destinado a remunerar a la persona que le atiende (no inferior al 45% de la pensión percibida) Complemento: 30% última base de cotización por la contingencia de la que se derive la IP + 45% base mínima de cotización vigente en la fecha del hecho causante	

← **IMPORTES MÍNIMOS:** *existen importes mínimos para estas pensiones siempre que no se supere el límite de ingresos establecido, mediante el reconocimiento de los "complementos a mínimos".*

← **N° DE PAGAS:** { ❏ *Enfermedad común y accidente no laboral* → *14 pagas (pagas extraordinarias: junio y noviembre).*
❏ *Accidente de trabajo o enfermedad profesional* → *12 pagas.*

← **FECHA DEL HECHO CAUSANTE:** *la fecha del dictamen/propuesta del Equipo de Valoración de Incapacidades (EVI).*

← *Si agota plazos de IT.*
← *Si alta por declaración de IP* { *La prestación de IT se prorroga hasta el momento de la calificación de IP, salvo si la prestación de IP es superior, en cuyo caso esta se retrotrae hasta la fecha de finalización de la IT.*

4.6.2. Incapacidad (nivel no contributivo)

Finalmente, como señalábamos al comienzo de este apartado, en el nivel no contributivo encontramos la pensión de incapacidad, creada con la Ley 26/1990, de 20 de diciembre, por la que se establecen en la Seguridad Social prestaciones **no contributivas**, actualmente reguladas en los artículos 363 a 373 del TRLGSS. Podrán ser constitutivas de incapacidad las deficiencias, previsiblemente permanentes, de carácter físico o psíquico, congénitas o no, que anulen o modifiquen la capacidad física, psíquica o sensorial de quienes la padecen. El grado mínimo en que debe afectar a la persona su discapacidad o enfermedad crónica para causar derecho a la pensión debe ser del 65%, de acuerdo con lo establecido en el artículo 363 del TRLGSS.

En el caso de que el grado sea del 75% o superior y concurran, además, pérdidas anatómicas o funcionales que hagan preciso el concurso de otra persona para la realización de los actos más esenciales de la vida, tales como vestirse, desplazarse, comer o análogos, se podrá causar derecho al denominado "complemento por tercera persona".

A) Beneficiarios

La pensión de incapacidad, en su modalidad no contributiva, se reconoce en favor de las personas que cumplan los siguientes requisitos:

❑ Ser mayor de 18 años y menor de 65.

❑ Residir legalmente en territorio español y haberlo hecho durante cinco años, de los cuales dos deberán ser consecutivos e inmediatamente anteriores a la fecha de solicitud de pensión. A estos efectos, computarán y se totalizarán los períodos de residencia que se justifiquen en Estados de la Unión Europea.

❑ Estar afectadas por una discapacidad o por una enfermedad crónica, en un grado igual o superior al 65%.

❑ Carecer de rentas o ingresos suficientes. Se considerará que existen rentas o ingresos suficientes cuando la suma, en cómputo anual, de los mismos sea inferior al importe, también en cómputo anual, de la propia pensión no contributiva, que en 2026 es de 8.803,20 euros/año. Veremos a continuación los límites de ingresos cuando en una misma unidad familiar hay varios familiares conviviendo; en estos casos, se incrementa el límite general de 8.803,20 euros en un 70% por cada familiar hasta segundo grado conviviente con el beneficiario y, en caso de que alguno de ellos sea familiar de primer grado, se multiplica el resultado por 2,5. En 2026 los límites de ingresos son los siguientes:

Convivencia solo con su cónyuge y/o parientes consanguíneos de segundo grado:

N° de convivientes = 2	*14.965,44 euros/año*
N° de convivientes = 3	*21.127,68 euros/año*
N° de convivientes = 4	*27.289,92 euros/año*

Si entre los parientes consanguíneos con los que convive se encuentra alguno de sus padres o hijos:

N° de convivientes = 2	*37.413,60 euros/año*
N° de convivientes = 3	*52.819,20 euros/año*
N° de convivientes = 4	*68.224,80 euros/año*

B) Cuantía

La cuantía se fijará en la correspondiente Ley de Presupuestos Generales del Estado, y el abono de la pensión se realizará en catorce pagas, dos de las cuales serán extraordinarias. Para el año 2026, como ya hemos indicado, la cuantía ordinaria de las pensiones de jubilación e incapacidad de la Seguridad Social, en su modalidad no contributiva, se ha fijado en 7.905,80 euros íntegros anuales cuando se trate de un único beneficiario y carezca de ingresos, con un importe mínimo, si tiene ingresos pero no supera el límite de rentas, del 25% de esa cantidad. En el caso de que en una misma unidad familiar haya más de un beneficiario de pensión contributiva, la cuantía a abonar a cada uno de ellos resultará de dividir entre el número de beneficiarios el importe de sumar la cuantía de la pensión (8.803,20 euros) más un 70% de esa cuantía por cada beneficiario a partir del segundo. El cuadro de cuantías de las pensiones no contributivas para el año 2026 es el siguiente:

Cuantía	Anual	Mensual	N° Beneficiarios	Anual	Mensual
Íntegra	8.803,20 euros	628,80 euros	2	7.482,72 euros	534,48 euros
Mínima 25%	2.200,80 euros	157,20 euros	3	7.042,56 euros	503,04 euros

Como ya hemos señalado, el importe de la pensión no contributiva se verá complementado por un 50% de la cuantía fijada con carácter general por la Ley de Presupuestos Generales del Estado, cuando el porcentaje de discapacidad o enfermedad crónica del beneficiario iguale o supere el 75% y se necesite del concurso de otra persona para la realización de los actos más esenciales de la vida.

C) Compatibilidad

Por lo que se refiere a la compatibilidad de estas pensiones de incapacidad, hay que señalar que las mismas serán compatibles con los ingresos del trabajo:

❏ Si hay rentas o ingresos, reducen la cuantía de la pensión, salvo si inician actividad lucrativa, cuyos ingresos serán compatibles durante los 4 años siguientes si no sobrepasan el IPREM anual vigente (7.200 euros en 2026).

❏ Si dichos ingresos sobrepasan el importe del IPREM vigente en cada momento, se reduce la cuantía de la pensión en el 50% del exceso hasta alcanzar 1,5 veces el IPREM (10.800 euros en 2026).

Finalmente hay que señalar que, tanto en el nivel contributivo (IP) como en el no contributivo (incapacidad), cuando el beneficiario cumple 65 años, si continúa percibiendo la pensión correspondiente, esta pasará a denominarse pensión de jubilación, si bien mantendrá el régimen jurídico de la que tenía en origen.

Un trabajador de 36 años sufre un accidente de trabajo y, como consecuencia del mismo y después de recibir asistencia sanitaria y rehabilitación profesional, le queda una rigidez articular en una mano que, tras pasar la correspondiente valoración en el Instituto Nacional de la Seguridad Social, resulta una disminución superior al 33% de su capacidad de trabajo, afectando a las tareas esenciales de su profesión u oficio, pero no impidiendo realizar otros trabajos. El trabajador se pregunta si tendrá derecho a alguna pensión, cuál será su importe, y si podrá seguir trabajando en su antiguo puesto de trabajo o en otro.

Al trabajador, si reúne todos los requisitos para ello, se le reconocerá una pensión de incapacidad permanente en el grado de total, cuyo importe será del 55% de la base reguladora correspondiente. El trabajador no podrá volver a su antiguo puesto de trabajo, pero podrá desarrollar otros cuyas funciones no coincidan con las que dieron lugar a la incapacidad, y seguir percibiendo mientras desarrolle uno de esos trabajos compatibles, además del salario correspondiente, la pensión de incapacidad permanente total.

No tendrá derecho al incremento del 20% de la IP total cualificada, puesto que es menor de 55 años.

4.7. Lesiones permanentes no incapacitantes

Se trata de un supuesto de acción protectora regulado en los artículos 201 a 203 TRLGSS. En cuanto a las las cantidades a tanto alzado de las indemnizaciones por lesiones, mutilaciones y deformidades de carácter definitivo y no incapacitantes, han sido actualizadas por Orden ISM/450/2023, de 4 de mayo.

4.7.1. Contingencia protegida

El supuesto protegido viene referido a las lesiones, mutilaciones y deformidades de carácter definitivo, causadas por accidentes de trabajo o enfermedades profesionales que, sin llegar a constituir una incapacidad permanente conforme a lo establecido en el TRLGSS, supongan una disminución o alteración de la integridad física del trabajador y aparezcan recogidas en el baremo establecido al efecto, serán indemnizadas, por una sola vez, con las cantidades alzadas que en el mismo se determinen, por la entidad que estuviera obligada al pago de las prestaciones de incapacidad permanente, todo ello sin perjuicio del derecho del trabajador a continuar al servicio de la empresa.

4.7.2. Beneficiarios

Por lo que se refiere a los beneficiarios de las indemnizaciones a que nos hemos referido, lo serán los trabajadores integrados en el Régimen General de la Seguridad Social que se hallen en situación de alta o asimilada a la misma y hayan sido dados de alta médica.

4.7.3. Compatibilidad

Las indemnizaciones a tanto alzado que procedan por las lesiones, mutilaciones y deformidades que regula el TRLGSS serán incompatibles con las prestaciones económicas establecidas para la incapacidad permanente, salvo en el caso de que dichas lesiones, mutilaciones y deformidades sean totalmente independientes de las que hayan sido tomadas en consideración para declarar tal incapacidad y el grado de incapacidad de la misma.

El baremo para la determinación de los importes en los supuestos de lesiones permanentes no incapacitantes está recogido en la Orden ISM/450/2023, de 4 de mayo, por la que se actualizan las cantidades a tanto alzado de las indemnizaciones por lesiones, mutilaciones y deformidades de carácter definitivo y no incapacitantes.

Un trabajador sufre un accidente de trabajo que le provoca la pérdida de la tercera falange del dedo anular de la mano derecha. Tras la correspondiente evaluación ante el Instituto Nacional de la Seguridad Social, determinan que se trata de una lesión permanente pero que no es constitutiva de situación de Incapacidad Permanente. El trabajador quiere saber si percibirá alguna indemnización.

En efecto, dado que la causa de la pérdida anatómica fue un accidente de trabajo, percibirá una indemnización de acuerdo con lo establecido en el baremo aprobado por Orden ISM/450/2023, de 4 de mayo, por la que se actualizan las cantidades a tanto alzado de las indemnizaciones por lesiones, mutilaciones y deformidades de carácter definitivo y no incapacitantes. En este caso, determina lo siguiente:

	CUANTÍA (EUROS)	
	Derecho	**Izquierdo**
1º. Pérdida de los dedos de la mano:		
D) Anular:		
37. Pérdida de la tercera falange (distal)	1.150	815

Así pues, percibirá una indemnización de 1.150 euros.

4.8.   Jubilación

Recordemos que el artículo 50 de la Constitución española establece que *"los poderes públicos garantizarán, mediante pensiones adecuadas y periódicamente actualizadas, la suficiencia económica a los ciudadanos durante la tercera edad. Asimismo, y con independencia de las obligaciones familiares, promoverán su bienestar mediante un sistema de servicios sociales que atenderán sus problemas específicos de salud, vivienda, cultura y ocio".* Por otra parte, el artículo 41 de la propia CE exige que las prestaciones y la asistencia cubran las situaciones de necesidad de todos los ciudadanos.

También en este caso nos encontramos con una prestación que aparece en los dos niveles de protección, es decir, en el nivel contributivo y en el nivel no contributivo, con idéntica denominación genérica en ambos casos: pensión de jubilación.

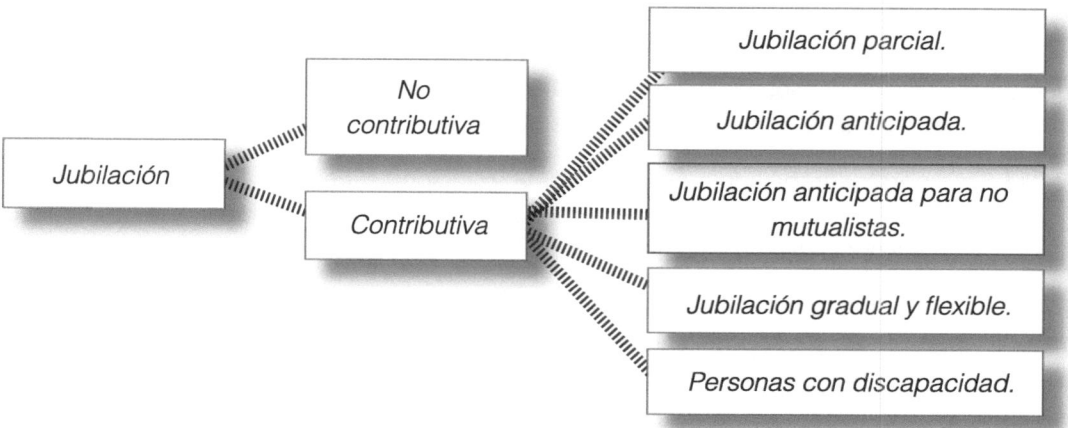

4.8.1. Jubilación no contributiva

Sobre la jubilación **no contributiva**, regulada en los artículos 369 a 372 del TRLGSS, hay que señalar que su importe y régimen jurídico es idéntico al de la incapacidad no contributiva, variando únicamente sus requisitos de los beneficiarios, que son los siguientes:

☐ Tener cumplidos 65 años.

☐ Residir en España 10 años (aquí difiere de la incapacidad, puesto que en esta se exigen únicamente 5 años de residencia) desde que se cumplieron los 16 años. También en este caso, al menos 2 años deben ser consecutivos e inmediatamente anteriores a la fecha de la solicitud.

☐ Carecer de rentas (igual que la incapacidad no contributiva).

4.8.2. Jubilación contributiva

A continuación, nos centramos en el estudio de la pensión de jubilación contributiva.

La normativa aplicable en esta materia está constituida básicamente por el art. 49.6 y la Disposición Adicional Décima del TRLET, los arts. 204 a 215 del TRLGSS y la correspondiente normativa de desarrollo.

La jubilación es, en principio, una causa de extinción de la relación laboral, tal y como establece el art. 49.6 TRLET; en contra de lo que preceptuaba el primer párrafo de la Disposición Adicional 5ª del Estatuto de los Trabajadores, declarada inconstitucional por la Sentencia de 2 de julio de 1981 del Tribunal Constitucional establece que no se puede imponer con carácter inexcusable una edad que condicione directamente la extinción de la relación laboral. Así, la edad de 65 años establecida en la actualidad ha de entenderse no como la de extinción obligatoria de la relación laboral por jubilación, sino la mínima a la que el trabajador puede disfrutar de esta prestación (salvo excepciones, como veremos).

Por otra parte, hay que tener en cuenta que la Disposición Adicional 10ª del TRLET determina que los convenios colectivos podrán establecer cláusulas que posibiliten la extinción del contrato de trabajo por el cumplimiento por parte del trabajador de la edad legal de jubilación fijada en la normativa de Seguridad Social, siempre que se cumplan los siguientes requisitos:

❑ La persona trabajadora afectada por la extinción del contrato de trabajo deberá reunir los requisitos exigidos por la normativa de Seguridad Social para tener derecho al cien por ciento de la pensión ordinaria de jubilación en su modalidad contributiva.

❑ La medida deberá vincularse, como objetivo coherente de política de empleo expresado en el convenio colectivo, al relevo generacional a través de la contratación indefinida y a tiempo completo de, al menos, un nuevo trabajador o trabajadora.

❑ Excepcionalmente, con el objetivo de alcanzar la igualdad real y efectiva entre mujeres y hombres coadyuvando a superar la segregación ocupacional por género, el límite del apartado anterior podrá rebajarse hasta la edad ordinaria de jubilación fijada por la normativa de Seguridad Social cuando la tasa de ocupación de las mujeres trabajadoras por cuenta ajena afiliadas a la Seguridad Social en alguna de las actividades económicas correspondientes al ámbito funcional del convenio sea inferior al 20 por ciento de las personas ocupadas en las mismas..

A) Contingencia protegida

En cuanto a la contingencia cubierta, esta consiste en el cese en el trabajo por cuenta ajena a causa de la edad; esta edad puede anticiparse a través de la negociación colectiva, sin perjuicio de lo establecido en materia de Seguridad Social a estos efectos. También la propia iniciativa del trabajador puede establecer planes complementarios a los del Sistema de la Seguridad Social.

B) Cuantía de la prestación

La prestación consiste en el pago de una pensión vitalicia al beneficiario, cuyo importe se determina aplicando a la base reguladora –más adelante veremos cómo se determina esta B.R.– el tipo que resulte de la aplicación según la escala establecida en el vigente TRLGSS, de acuerdo con la cual corresponden los siguientes porcentajes sobre la base reguladora en función del número de años cotizados:

❑ Con 15 años cotizados................................ 50%.

❑ Por cada mes adicional de cotización, comprendidos entre los meses 1 y 248, se añadirá el 0,19%, y por los que rebasen el mes 248, se añadirá el 0,18%, sin que el porcentaje aplicable a la base reguladora supere el 100%, salvo que la jubilación se produzca después de haber cumplido la edad ordinaria.

Esta normativa entró en vigor el día 1 de enero de 2013, y tiene un periodo transitorio de aplicación que finaliza el día 1 de enero del año 2027, tal como se indica en la Disposición Transitoria 9ª del TRLGSS. Esa transitoriedad es la siguiente:

DURANTE LOS AÑOS 2013 A 2019.	Por cada mes adicional de cotización entre los meses 1 y 163, el 0,21% y por los 83 meses siguientes, el 0,19%.
DURANTE LOS AÑOS 2020 A 2022.	Por cada mes adicional de cotización entre los meses 1 y 106, el 0,21% y por los 146 meses siguientes, el 0,19%.
DURANTE LOS AÑOS 2023 A 2026.	Por cada mes adicional de cotización entre los meses 1 y 49, el 0,21% y por los 209 meses siguientes, el 0,19%.
A PARTIR DEL AÑO 2027.	Por cada mes adicional de cotización entre los meses 1 y 248, el 0,19% y por los 16 meses siguientes, el 0,18%.

Así, los porcentajes aplicables a la base reguladora dependerán del periodo cotizado en cada caso, de acuerdo con la siguiente escala:

	AÑOS COTIZADOS		**PORCENTAJE BR (%)**	**PORCENTAJE TOTAL A APLICAR A BR**
	15		50	50
	Meses adicionales		**Incremento %**	
49 primeros meses	1	+ 0,21%	0,21	50,21
	2	+ 0,21%	0,42	50,42
	3	+ 0,21%	0,63	50,63
	4	+ 0,21%	0,84	50,84
	5	+ 0,21%	1,05	51,05
	6	+ 0,21%	1,26	51,26
	7	+ 0,21%	1,47	51,47
	8	+ 0,21%	1,68	51,68
	...	+ 0,21% x mes	...	...
	49	+ 0,21%	10,29	60,29

	AÑOS COTIZADOS		PORCENTAJE BR (%)	PORCENTAJE TOTAL A APLICAR A BR
209 meses restantes	50	+ 0,19%	10,48	72,45
	51	+ 0,19%	10,67	72,64
	52	+ 0,19%	10,86	72,83
	53	+ 0,19%	11,05	73,02
	54	+ 0,19%	11,23	73,21
	55	+ 0,19%	11,42	73,4
	56	+ 0,19%	11,61	73,59
	57	+ 0,19%	11,80	73,78
	...	+ 0,19% x mes		...
	258	+ 0,19%	50,00	100,00
En el año 2026, el 100% de la BR se consigue acreditando 36 años y 6 meses de cotización				

Cuando se acceda a la pensión de jubilación a una edad superior a la que resulte en cada caso, siempre que al cumplir esta edad se hubiera reunido el período mínimo de cotización establecido, se reconocerá al interesado un complemento económico que se abonará de la siguiente manera, a elección del interesado (que se llevará a cabo de una sola vez en el momento de la solicitud):

❑ Una primera posibilidad es aplicar un porcentaje adicional del 4 por ciento por cada año completo cotizado entre la fecha en que cumplió dicha edad y la del hecho causante de la pensión. Por aplicación de lo dispuesto en el Real Decreto Ley 11/2024, de 23 de diciembre, que entró en vigor el día 1 de abril de 2025, a partir del segundo año completo de demora, para el cálculo del porcentaje se podrán computar periodos superiores a 6 meses e inferiores a un año, correspondiendo a dichos periodos un 2 por ciento adicional. El importe anual máximo de la pensión, aplicando este porcentaje adicional, podrá alcanzar hasta la cuantía del tope máximo de la base de cotización vigente en cada momento, también en cómputo anual.

❑ También podrá el interesado, alternativamente, optar por el cobro de una cantidad a tanto alzado por cada año completo cotizado entre la fecha en que cumplió dicha edad y la del hecho causante de la pensión, cuya cuantía vendrá determinada en función de los años de cotización acreditados en la primera de las fechas indicadas, siendo la fórmula de cálculo que establece el artículo 210 del TRLGSS. También desde 1 de abril de 2025, a partir del segundo año completo de demora, para el cálculo del complemento se podrán computar periodos superiores a 6 meses e inferiores a un año.

❑ La tercera y última posibilidad es combinar las dos soluciones anteriores. Todo ello regulado en el Real Decreto 371/2023, de 16 de mayo.

Hay que tener en cuenta, además, que el INSS ha venido aplicando a muchos de los actuales pensionistas -los que acceden en la actualidad a la pensión de jubilación ya no pueden acceder a este beneficio por razones puramente cronológicas- una bonificación de años por edad en función de cuál fuera la edad del beneficiario el día 1 de enero de 1967, que se sumarán a los realmente cotizados. La escala es la siguiente:

Edad 1/1/67	Años	Día	Edad 1/1/67	Años	Día
65	30	318	42	15	34
64	30	67	41	14	148
63	29	182	40	13	263
62	28	296	39	13	12
61	28	46	38	12	127
60	27	161	37	11	242
59	26	275	36	10	356
58	26	25	35	10	106
57	25	139	34	9	220
56	24	254	33	8	335
55	24	4	32	8	85
54	23	118	31	7	199
53	22	233	30	6	314
52	21	347	29	6	64
51	21	97	28	5	178
50	20	212	27	4	293
49	19	326	26	4	42
48	19	76	25	3	157
47	18	191	24	2	272
46	17	305	23	2	21
45	17	55	22	1	136
44	16	160	21	0	250
43	15	284			

Por último, hay que tener en cuenta que el vigente TRLGSS, en su artículo 60 reconoció un complemento para pensiones por aportación demográfica para mujeres que hubieran tenido dos o más hijos. Este complemento fue cuestionado judicialmente desde el punto de vista de la estricta aplicación del principio de igualdad constitucional y de la Directiva 79/7/CEE (Sentencia TJUE de 12/12/2019, Asunto C-450/18), y el Real Decreto Ley 3/2021, de 2 de febrero, lo ha eliminado y sustituido por un complemento de pensiones contributivas para la **reducción de la brecha de genero** para mujeres -u otro progenitor si no lo solicita la mujer- que hayan tenido uno o más hijos o hijas y que sean beneficiarias de una pensión contributiva de jubilación, de incapacidad permanente o de viudedad. La percepción del complemento está sujeta a las reglas y condiciones del propio artículo 60 del TRLGSS y su importe por hijo o hija, en el año 2026, es de 36,90 euros mensuales.

- Requisitos

    Para tener derecho a la prestación, se han de cumplir los siguientes requisitos:

    1.   Tener cubierto un periodo de cotización (carencia) de, al menos, 15 años efectivos (la reforma introducida por la Ley 40/2007 elimina los llamados "días cuota", y el Real Decreto Ley 10/2010 eliminó el régimen transitorio de aplicación de esta reforma, por lo que actualmente se exigirán 15 años de cotización efectiva durante toda la vida laboral). Esta es la denominada "carencia genérica".

    De esos 15 años, al menos 2 ("carencia específica") deberán estar comprendidos dentro de los quince últimos.

    Respecto de los periodos cotizados **con contratos a tiempo parcial**, desde el día 1 de octubre de 2023, a efectos de acreditar los períodos de cotización necesarios para causar derecho a las prestaciones de jubilación, incapacidad permanente, muerte y supervivencia, incapacidad temporal y nacimiento y cuidado de menor se tendrán en cuenta los distintos períodos durante los cuales el trabajador haya permanecido en alta con un contrato a tiempo parcial, cualquiera que sea la duración de la jornada realizada en cada uno de ellos. Por lo tanto, actualmente ya no hay diferencia en el cálculo de los periodos cotizados, para tener derecho a esas prestaciones, entre las personas que trabajan a tiempo parcial y las que lo hacen a tiempo completo.

Una trabajadora ha venido trabajando a jornada completa durante toda su vida laboral en una empresa de servicios, durante un total de 18 años, sin que tenga otras cotizaciones. La totalidad de ese periodo cotizado se halla comprendido entre los años 1987 a 2006. Al cumplir, en 2026, la edad exigida para la jubilación ordinaria, se pregunta si cumple los requisitos de carencia para la jubilación.

Solución:
- ❑ *Carencia genérica: 15 años. Cumple este requisito, puesto que acredita 18 años cotizados.*
- ❑ *Carencia específica: 2 años cotizados en los 15 anteriores al momento del hecho causante. No cumple este requisito, puesto que no ha cotizado nada en los últimos 15 años.*

    2.   Haber cumplido 67 años de edad, o 65 años cuando se acrediten 38 años y 6 meses de cotización, sin que se tenga en cuenta la parte proporcional correspondiente a las pagas extraordinarias. Para el cómputo de los años y meses de cotización se tomarán

años y meses completos, sin que se equiparen a un año o un mes las fracciones de los mismos. El paso de la anterior edad de 65 años con carácter general a la nueva edad en 67 años, introducida por la Ley 27/2011, se irá produciendo paulatinamente entre 2013 y 2027, de acuerdo con lo establecido en la Disposición Transitoria 7ª del TRLGSS. En 2026, la edad ordinaria de jubilación se mantiene con carácter general en 65 años cuando se acredite un periodo mínimo de cotización de 38 años y 3 meses; en caso contrario, la edad mínima de jubilación en 2026 sera de 66 anos y 10 meses.

3.   No se requiere estar en alta o en situación asimilada al alta.

C) Base reguladora

La base reguladora de la pensión -a la que se aplicará el porcentaje que resulte en cada caso- será el resultado de dividir entre 378 la suma de las 324 bases de cotización de contingencias comunes de mayor importe -las elige de oficio el INSS- comprendidas dentro del período de los 348 meses inmediatamente anteriores al mes previo al del hecho causante. También en esta materia hay transitoriedad -DT 40ª del TRLGSS- de modo que en el año 2026 la base reguladora será el resultado de **dividir entre 352,33 la suma de las 302 bases de cotización de mayor importe** comprendidas dentro del período de los **304 meses** inmediatamente anteriores al mes previo al del hecho causante. No obstante, si este cálculo resultara más desfavorable que el que resulte de la normativa anterior a la entrada en vigor del Real Decreto Ley 2/2023, de 16 de marzo -que consistía en dividir entre 350 las 300 bases de cotización inmediatamente anteriores al mes previo al del hecho causante- se aplicará este último cálculo. En cualquier caso, las 24 últimas bases de cotización se toman por su valor nominal actualizándose el resto de acuerdo con lo establecido en el artículo 209.1.2 del TRLGSS.

Hay que tener en cuenta, a estos efectos, que el artículo 209 del TRLGSS contiene la denominada **"integración de lagunas"**, que supone que, en el caso de que dentro del periodo tomado en cuenta para el cálculo de la base reguladora aparecieran meses en los cuales no hubiese existido obligación de cotizar -laguna parcial- las primeras cuarenta y ocho mensualidades se integrarán con la base mínima de cotización del Régimen General que corresponda al mes respectivo y el resto de las mensualidades con el 50 por ciento de dicha base mínima. Si en alguno de esos meses sólo hubo obligación de cotizar algunos días -laguna parcial- se completará la base de cotización hasta los importes indicados anteriormente.

Hay que tener en cuenta que no se tendrán en cuenta los incrementos en las bases de cotización producidos en los dos últimos años que superen los de los salarios establecidos en el convenio colectivo aplicable, salvo que sean consecuencia de ascensos o antigüedades. En los restantes años incluidos en el cómputo de la base reguladora, no se tendrán en cuenta los incrementos pactados en función del cumplimiento de una determinada edad próxima a la jubilación.

La Ley 23/2013, de 23 de diciembre, regulaba un Factor de Sostenibilidad a aplicar en el reconocimiento de las pensiones que suponía una merma de la cuantía inicial de las mismas directamente proporcional al incremento de la esperanza de vida. No obstante, este Factor de Sostenibilidad ha sido derogado y nunca llegó a ser aplicado, siendo sustituido por el **Mecanismo de Equidad Intergeneracional** que se aplica a partir de 1 de enero de 2023 en forma de incremento progresivo de las cuotas de contingencias comunes en 0,6% a partir de 1 de enero de 2023. En el año 2026 el tipo aplicable para ese Mecanismo de Equidad Intergeneracional (MEI) es del 0,90%.

Por otra parte, la misma Ley 23/2013 introdujo un **Índice de Revalorización** de las pensiones que fue posteriormente derogado por la Ley 21/2021, de 28 de diciembre, de garantía del poder adquisitivo de las pensiones y de otras medidas de refuerzo de la sostenibilidad financiera y social del sistema público de pensiones. De acuerdo con lo dispuesto en el artículo 58 del TRLGSS -en el redactado dado al mismo por esa Ley 21/2021- las pensiones de Seguridad Social, en su modalidad contributiva, incluido el importe de la pensión mínima, se revalorizarán al comienzo de cada año en el porcentaje equivalente al **valor medio de las tasas de variación interanual expresadas en tanto por ciento del Índice de Precios al Consumo de los doce meses previos a diciembre** del año anterior. Si el valor medio al que se refiere el apartado anterior fuera negativo, el importe de las pensiones no variará al comienzo del año. No se podrá superar, por otra parte, el importe de la pensión máxima fijada en la correspondiente Ley de Presupuestos Generales del Estado. No obstante, también este índice ha sido derogado, y este año 2026, aplicando lo dispuesto en el Real Decreto Ley 3/2026, de 3 de febrero -desarrollado por Real Decreto 421/2026, de 25 de marzo-, las pensiones contributivas del Sistema de Seguridad Social se han incrementado un 2,7 por 1000.

D) Supuestos especiales

• Jubilación parcial

La jubilación parcial está prevista en el artículo 215 del TRLGSS y en el artículo 12 del TRLET, que han sido modificados por el Real Decreto Ley 11/2024, de 23 de diciembre, entrando en vigor esta reforma el día 1 de abril de 2025. Se establece la posibilidad de reducir la jornada de trabajo y percibir parcialmente la pensión de jubilación en función de la mencionada reducción, que desde 1 de abril de 2025 podrá ser de entre el 25% y el 75%. Hasta que entre en vigor la nueva reforma, la reducción de la jornada podrá ser de entre un 25 y un 50% (o hasta un 75% para los supuestos en que el trabajador relevista sea contratado a jornada completa mediante un contrato de duración indefinida) del tiempo de trabajo. En el caso de que la persona trabajadora que se jubila parcialmente no tenga la edad ordinaria de jubilación, la empresa deberá celebrar un "contrato de relevo" con una persona desempleada, en los términos establecidos en el artículo 12 del TRLET. Los requisitos básicos para acceder a este tipo de jubilación, considerando que el Real Decreto Ley 10/2010 ha derogado el régimen transitorio que estableció la Ley 40/2007, son los siguientes:

❑ **Edad.** Tener cumplida en la fecha del hecho causante una edad que sea inferior en tres años, como máximo, a la edad que en cada caso resulte de aplicación. A estos efectos, se considerará como edad legal de jubilación la que le hubiera correspondido al trabajador de haber seguido cotizando durante el plazo comprendido entre la fecha del hecho causante de la jubilación parcial y el cumplimiento de la edad legal de jubilación que en cada caso resulte de la aplicación.

❑ **Antigüedad**. Acreditar un período de antigüedad en la empresa de, al menos, 6 años inmediatamente anteriores a la fecha de la jubilación parcial.

❑ **Reducción de jornada.** Si la anticipación es de más de dos años, la reducción de jornada de trabajo durante el primer año se fijará entre un 20 y un 33 por 100. A partir del segundo año se podrá modificar esa reducción, que será de entre el 25 y el 75 por 100. El tiempo de trabajo podrá ser acumulado en periodos de días en la semana, semanas en el mes, meses en el año u otros periodos de tiempo, de conformidad con lo dispuesto en pacto individual o, en su caso, en la negociación colectiva.

❑ **Periodo de carencia.** Acreditar un período de cotización de 33 años en la fecha del hecho causante de la jubilación parcial, sin que a estos efectos se tenga en cuenta la parte proporcional correspondiente por pagas extraordinarias. A estos exclusivos efectos, solo se computará el período de prestación del servicio militar obligatorio o de la prestación social sustitutoria, con el límite máximo de un año. En el supuesto de personas con discapacidad en grado igual o superior al 33%, el período de cotización exigido será de 25 años.

❑ **Bases de cotización.** Que exista una correspondencia entre las bases de cotización del trabajador relevista y del jubilado parcial, de modo que la correspondiente al trabajador relevista no podrá ser inferior al 65% del promedio de las bases de cotización correspondientes a los seis últimos meses del período de base reguladora de la pensión de jubilación parcial. A estos efectos, la Sentencia del Tribunal Supremo de 21 de octubre de 2025 (Rec. 5489/2023) establece que ese porcentaje del 65% debe cumplirse con independencia de cuál sea la jornada de trabajo del relevista..

❑ **Contratos de relevo.** Los contratos de relevo que se establezcan como consecuencia de una jubilación parcial sin haber alcanzado la edad ordinaria de jubilación necesariamente tendrán carácter indefinido y a tiempo completo, debiendo mantenerse al menos durante los dos años posteriores a la extinción de la jubilación parcial. Empresa y trabajador cotizarán por la base que le hubiera correspondido al jubilado parcial de seguir trabajando éste a jornada completa.

Finalmente, la Disposición Transitoria Cuarta del TRLGSS, en su apartado 6, establece que se seguirá aplicando la regulación para la modalidad de jubilación parcial con simultánea celebración de contrato de relevo, vigente con anterioridad a la entrada en vigor de la Ley

27/2011, de 1 de agosto, a pensiones causadas antes del 1 de enero de 2030, siempre y cuando se acredite el cumplimiento de los siguientes requisitos:

a) Que el trabajador que solicite el acceso a la jubilación parcial realice directamente funciones que requieran esfuerzo físico o alto grado de atención en tareas de fabricación, elaboración o transformación, así como en las de montaje, puesta en funcionamiento, mantenimiento y reparación especializados de maquinaria y equipo industrial en empresas clasificadas como industria manufacturera.

b) Que el trabajador que solicite el acceso a la jubilación parcial acredite un período de antigüedad en la empresa de, al menos, seis años inmediatamente anteriores a la fecha de la jubilación parcial. A tal efecto, se computará la antigüedad acreditada en la empresa anterior si ha mediado una sucesión de empresa en los términos previstos en el artículo 44 del TRLET o en empresas pertenecientes al mismo grupo.

c) Que en el momento del hecho causante de la jubilación parcial el porcentaje de trabajadores en la empresa cuyo contrato de trabajo lo sea por tiempo indefinido, supere el 75% del total de los trabajadores de su plantilla.

d) Que la reducción de la jornada de trabajo del jubilado parcial se halle comprendida entre un mínimo de un 25% y un máximo del 67%, o del 80% para los supuestos en que el trabajador relevista sea contratado a jornada completa mediante un contrato de duración indefinida. Dichos porcentajes se entenderán referidos a la jornada de un trabajador a tiempo completo comparable.

e) Que exista una correspondencia entre las bases de cotización del trabajador relevista y del jubilado parcial, de modo que la del trabajador relevista no podrá ser inferior al 65% del promedio de las bases de cotización correspondientes a los seis últimos meses del período de base reguladora de la pensión de jubilación parcial.

f) Que se acredite un período de cotización de treinta y tres años -veinticinco si se trata de personas con discapacidad- en la fecha del hecho causante de la jubilación parcial, sin que a estos efectos se tenga en cuenta la parte proporcional correspondiente por pagas extraordinarias. A estos exclusivos efectos, solo se computará el período de prestación del servicio militar obligatorio o de la prestación social sustitutoria, con el límite máximo de un año.

g) Durante el período de disfrute de la jubilación parcial, empresa y trabajador cotizarán por el 80% de la base de cotización que, en su caso, hubiese correspondido al jubilado parcial de seguir trabajando este a jornada completa. Esta cotización se aplicará de forma gradual de acuerdo con la siguiente escala:

    1. Durante el año 2025, la base de cotización será equivalente al 40% de la base de cotización que hubiera correspondido a jornada completa.

2.   Durante el año 2026, la base de cotización será equivalente al 50% de la base de cotización que hubiera correspondido a jornada completa.

3.   Durante el año 2027, la base de cotización será equivalente al 60% de la base de cotización que hubiera correspondido a jornada completa.

4.   Durante el año 2028, la base de cotización será equivalente al 70% de la base de cotización que hubiera correspondido a jornada completa.

5.   Durante el año 2029, la base de cotización será equivalente al 80% de la base de cotización que hubiera correspondido a jornada completa.

- Jubilación anticipada para mutualistas

Se trata de un supuesto que puede producirse a partir de los 60 años de edad, para aquellos trabajadores que tuvieran la condición de mutualista del día 1 de enero de 1967 (es decir, quienes puedan acreditar cotización con anterioridad a esa fecha en alguna de las Mutualidades existentes). Los coeficientes reductores por cada año de anticipación son del 8%, salvo si el cese en el trabajo no se produjo por voluntad del trabajador y acredita 30 o más años de cotización, en cuyo caso serán los siguientes:

❑   Entre 30 y 34 años acreditados.............................. 7,5%

❑   Entre 35 y 37 años acreditados................................ 7%

❑   Entre 38 y 39 años acreditados.............................. 6,5%

❑   Con más de 40 años acreditados 6%

- Jubilación anticipada para no mutualistas

Para quienes no cumplan el requisito de haber sido mutualistas el día 1 de enero de 1967 también se ha incorporado, mediante Ley 35/2002, de 12 de julio, la posibilidad de jubilarse anticipadamente a partir de los 61 años. No obstante, la Ley 21/2021, de 28 de diciembre, de garantía del poder adquisitivo de las pensiones y de otras medidas de refuerzo de la sostenibilidad financiera y social del sistema público de pensiones, ha cambiado sustancialmente este tipo de jubilación anticipada, distinguiendo entre los supuestos en que el cese del trabajador se produce por causa no imputable a su voluntad, regulados en el artículo 207 del TRLGSS –en estos casos la jubilación puede **anticiparse hasta cuatro años** respecto de la edad que corresponda, siempre que se acrediten 33 años de cotización y 6 meses como demandante de empleo– y aquellos otros casos en que el trabajador ha cesado voluntariamente, regulados en el artículo 208 del TRLGSS –en estos casos, la jubilación se puede **anticipar hasta dos años** respecto de la edad que corresponda, siempre que se acredite una cotización de al me-

nos 33 años, y que el importe de la pensión resulte superior a la cuantía de la pensión mínima que correspondería al interesado por su situación familiar al cumplimiento de los 65 años de edad-. En todo caso, a los exclusivos efectos de determinar la edad legal de jubilación, se considerará como tal la que le hubiera correspondido al trabajador de haber seguido cotizando durante el plazo comprendido entre la fecha del hecho causante y el cumplimiento de la edad legal de jubilación que en cada caso resulte de la aplicación.

Las circunstancias que se consideran ajenas a la voluntad del trabajador a estos efectos son las siguientes:

❑   El despido colectivo por causas económicas, técnicas, organizativas o de producción, conforme al artículo 51 del texto refundido de la Ley del Estatuto de los Trabajadores.

❑   El despido por causas objetivas conforme al artículo 52 del texto refundido de la Ley del Estatuto de los Trabajadores.

❑   La extinción del contrato por resolución judicial en los supuestos contemplados en el texto refundido de la Ley concursal, aprobado por el Real Decreto Legislativo 1/2020, de 5 de mayo.

❑   La muerte, jubilación o incapacidad del empresario individual, sin perjuicio de lo dispuesto en el artículo 44 del texto refundido de la Ley del Estatuto de los Trabajadores, o la extinción de la personalidad jurídica del contratante.

❑   La extinción del contrato de trabajo motivada por la existencia de fuerza mayor constatada por la autoridad laboral conforme a lo establecido en el artículo 51.7 del texto refundido de la Ley del Estatuto de los Trabajadores.

❑   La extinción del contrato por voluntad del trabajador por las causas previstas en los arts. 40.1, 41.3 y 50 del texto refundido de la Ley del Estatuto de los Trabajadores.

❑   La extinción del contrato por voluntad de la trabajadora por ser víctima de la violencia de género prevista en el artículo 49.1.m) de la Ley del Estatuto de los Trabajadores.

Los coeficientes reductores de las pensiones de jubilación, en los casos de jubilación anticipada no imputable a la voluntad del trabajador, son los siguientes:

Meses que se adelanta la jubilación	Periodo Cotizado: menos de 38 años y 6 meses	Periodo Cotizado: igual o superior a 38 años y 6 meses e inferior a 41 años y 6 meses	Periodo Cotizado: igual o superior a 41 años y 6 meses e inferior a 44 años y 6 meses	Periodo Cotizado: igual o superior a 44 años y 6 meses
	% reducción	% reducción	% reducción	% reducción
48	30,00	28,00	26,00	24,00
47	29,38	27,42	25,46	23,50
46	28,75	26,83	24,92	23,00
45	28,13	26,25	24,38	22,50
44	27,50	25,67	23,83	22,00
43	26,88	25,08	23,29	21,50
42	26,25	24,50	22,75	21,00
41	25,63	23,92	22,21	20,50
40	25,00	23,33	21,67	20,00
39	24,38	22,75	21,13	19,50
38	23,75	22,17	20,58	19,00
37	23,13	21,58	20,04	18,50
36	22,50	21,00	19,50	18,00
35	21,88	20,42	18,96	17,50
34	21,25	19,83	18,42	17,00
33	20,63	19,25	17,88	16,50
32	20,00	18,67	17,33	16,00
31	19,38	18,08	16,79	15,50
30	18,75	17,50	16,25	15,00
29	18,13	16,92	15,71	14,50
28	17,50	16,33	15,17	14,00
27	16,88	15,75	14,63	13,50
26	16,25	15,17	14,08	13,00
25	15,63	14,58	13,54	12,50
24	15,00	14,00	13,00	12,00
23	14,38	13,42	12,46	11,50
22	13,75	12,83	11,92	11,00
21	12,57	12,00	11,38	10,00
20	11,00	10,50	10,00	9,20
19	9,78	9,33	8,89	8,40
18	8,80	8,40	8,00	7,60
17	8,00	7,64	7,27	6,91
16	7,33	7,00	6,67	6,33
15	6,77	6,46	6,15	5,85

Meses que se adelanta la jubilación	PERIODO COTIZADO: MENOS DE 38 AÑOS Y 6 MESES	PERIODO COTIZADO: IGUAL O SUPERIOR A 38 AÑOS Y 6 MESES E INFERIOR A 41 AÑOS Y 6 MESES	PERIODO COTIZADO: IGUAL O SUPERIOR A 41 AÑOS Y 6 MESES E INFERIOR A 44 AÑOS Y 6 MESES	PERIODO COTIZADO: IGUAL O SUPERIOR A 44 AÑOS Y 6 MESES
	% reducción	% reducción	% reducción	% reducción
14	6,29	6,00	5,71	5,43
13	5,87	5,60	5,33	5,07
12	5,50	5,25	5,00	4,75
11	5,18	4,94	4,71	4,47
10	4,89	4,67	4,44	4,22
9	4,63	4,42	4,21	4,00
8	4,40	4,20	4,00	3,80
7	4,19	4,00	3,81	3,62
6	3,75	3,50	3,25	3,00
5	3,13	2,92	2,71	2,50
4	2,50	2,33	2,17	2,00
3	1,88	1,75	1,63	1,50
2	1,25	1,17	1,08	1,00
1	0,63	0,58	0,54	0,50

Por otra parte, en los casos de jubilación anticipada por causas imputables a la voluntad del trabajador, los coeficientes reductores son los siguientes:

Meses que se adelanta la jubilación	PERIODO COTIZADO: MENOS DE 38 AÑOS Y 6 MESES	PERIODO COTIZADO: IGUAL O SUPERIOR A 38 AÑOS Y 6 MESES E INFERIOR A 41 AÑOS Y 6 MESES	PERIODO COTIZADO: IGUAL O SUPERIOR A 41 AÑOS Y 6 MESES E INFERIOR A 44 AÑOS Y 6 MESES	PERIODO COTIZADO: IGUAL O SUPERIOR A 44 AÑOS Y 6 MESES
	% reducción	% reducción	% reducción	% reducción
24	21,00	19,00	17,00	13,00
23	17,60	16,50	15,00	12,00
22	14,67	14,00	13,33	11,00
21	12,57	12,00	11,43	10,00
20	11,00	10,50	10,00	9,20
19	9,78	9,33	8,89	8,40
18	8,80	8,40	8,00	7,60

Meses que se adelanta la jubilación	Periodo cotizado: menos de 38 años y 6 meses	Periodo cotizado: igual o superior a 38 años y 6 meses e inferior a 41 años y 6 meses	Periodo cotizado: igual o superior a 41 años y 6 meses e inferior a 44 años y 6 meses	Periodo cotizado: igual o superior a 44 años y 6 meses
	% reducción	% reducción	% reducción	% reducción
17	8,00	7,64	7,27	6,91
16	7,33	7,00	6,67	6,33
15	6,77	6,46	6,15	5,85
14	6,29	6,00	5,71	5,43
13	5,87	5,60	5,33	5,07
12	5,50	5,25	5,00	4,75
11	5,18	4,94	4,71	4,47
10	4,89	4,67	4,44	4,22
9	4,63	4,42	4,21	4,00
8	4,40	4,20	4,00	3,80
7	4,19	4,00	3,81	3,62
6	4,00	3,82	3,64	3,45
5	3,83	3,65	3,48	3,30
4	3,67	3,50	3,33	3,17
3	3,52	3,36	3,20	3,04
2	3,38	3,23	3,08	2,92
1	3,26	3,11	2,96	2,81

Hay que tener en cuenta que, una vez aplicados los referidos coeficientes reductores, el importe resultante de la pensión no podrá ser superior a la cuantía resultante de reducir el tope máximo de pensión en un 0,50% por cada trimestre o fracción de trimestre de anticipación. Este coeficiente del 0,50% no será de aplicación en los siguientes supuestos:

a) Cuando se trate de jubilaciones causadas por beneficiarios que tengan la condición de mutualista, acreditada antes de 1 de enero de 1967.

b) En los casos de jubilaciones anticipadas en relación con los grupos o actividades profesionales cuyos trabajos sean de naturaleza excepcionalmente penosa, tóxica, peligrosa o insalubre, o se refieran a personas con discapacidad.

También hay que tener en cuenta lo dispuesto en el Real Decreto 3/2014, de 10 de enero, por el que se establecen las normas especiales para la concesión de ayudas previas a la jubilación ordinaria en el sistema de la Seguridad Social, a trabajadores afectados por procesos de reestructuración de empresas. Hay que señalar que la la Sentencia del Tribunal de Justicia de la Unión Europea de 21 de enero de 2021, Asunto C-843/19, no ha considerado que la

legislación española contravenga en materia de jubilación anticipada la Directiva 79/7/CEE del Consejo, de 19 de diciembre de 1978, relativa a la aplicación progresiva del principio de igualdad de trato entre hombres y mujeres en materia de Seguridad Social.

- **Medidas para el establecimiento de la jubilación gradual y flexible**

La Ley 35/2002, de 12 de julio, y posteriormente las Leyes 40/2007, de 4 de agosto, y 27/2011, de 1 de agosto, y el Real Decreto Ley 5/2013, de 15 de marzo, incorporaron medidas para el establecimiento de la jubilación gradual y flexible y algunas nuevas situaciones de compatibilidad entre pensión y trabajo, de entre las que podemos destacar las siguientes:

❑ Como ya hemos visto, cuando se acceda a la pensión de jubilación a una edad superior a la que resulte en cada caso, siempre que al cumplir esta edad se hubiera reunido el período mínimo de cotización establecido, se reconocerá al interesado un porcentaje adicional del 4 por 100, o bien una cantidad a tanto alzado en los términos establecidos en el artículo 210 del TRLGS -en redacción dada al mismo por el Real Decreto Ley 11/2024- o, incluso, cabe una combinación de ambas posibilidades. En estos casos, el importe de la pensión puede superar el 100 por 100 de la base reguladora de la misma e incluso el importe de la pensión máxima vigente en cada momento, teniendo como importe máximo anual el de la base máxima de cotización vigente, también en cómputo anual.

Trabajador que se jubila a los 68 años:
- ❑ *A los 65 tenía 41 años cotizados.*
- ❑ *A los 68 tiene 44 años cotizados.*

Tendrá un porcentaje adicional de 12 puntos (4% x 3 años).

En este caso su pensión superará el 100%.

❑ Las empresas y las personas trabajadoras quedarán exentas de cotizar a la Seguridad Social por contingencias comunes, salvo por incapacidad temporal derivada de dichas contingencias, respecto de los trabajadores por cuenta ajena y de los socios trabajadores o de trabajo de las cooperativas, una vez hayan alcanzado la edad de acceso a la pensión de jubilación que en cada caso resulte de aplicación. Idéntica situación se producirá respecto de las cotizaciones al FOGASA y a Formación Profesional y Desempleo.

❑ El percibo de la pensión de jubilación será compatible con la realización de trabajos por cuenta propia cuyos ingresos anuales totales no superen el Salario Mínimo Interprofesional, en cómputo anual, es decir, 17.094 euros en 2026. Quienes realicen estas actividades económicas no estarán obligados a cotizar por las prestacio-

nes de la Seguridad Social. No obstante, estas actividades por las que no se cotice no generarán nuevos derechos sobre las prestaciones de la Seguridad Social.

❏ Compatibilidad de la pensión de jubilación, en su modalidad contributiva, con la realización de cualquier trabajo por cuenta ajena o por cuenta propia del pensionista (jubilación activa). También esta materia está afectada por la reforma introducida por el Real Decreto Ley 11/2024, que entró en vigor el día 1 de abril de 2025. Veamos los aspectos generales de esta modalidad de jubilación activa:

a) El acceso a la pensión deberá haber tenido lugar al menos un año después de haber cumplido la edad que en cada caso resulte de aplicación sin que, a tales efectos, sean admisibles jubilaciones acogidas a bonificaciones o anticipaciones de la edad de jubilación que pudieran ser de aplicación al interesado.

b) El trabajo compatible podrá realizarse por cuenta propia o por cuenta ajena y, en este último caso, a tiempo completo o a tiempo parcial.

c) El porcentaje de pensión compatible con el trabajo será de entre el 45% (75% si se trabaja por cuenta propia y se tiene al menos un trabajador por cuenta ajena) y el 100%, dependiendo del tiempo de demora en el acceso a la pensión de jubilación ordinaria. La escala -teniendo en cuenta que el porcentaje que resulte se incrementará 5 puntos porcentuales por cada 12 meses ininterrumpidos que permanezca en la situación de jubilación activa, con el máximo del 100 por ciento de la pensión- es la siguiente:

◊ Si se demora un año el acceso a la pensión de jubilación de acuerdo con lo establecido en el apartado 1.a), el porcentaje será del 45% de la pensión.

◊ Si se demora dos años el acceso a la pensión de jubilación, el porcentaje a percibir será del 55% de la pensión.

◊ Si se demora tres años el acceso a la pensión de jubilación, el porcentaje será del 65% de la pensión.

◊ Si se demora cuatro años el acceso a la pensión de jubilación, el porcentaje será del 80% de la pensión.

◊ Si se demora cinco años o más el acceso a la pensión de jubilación, el porcentaje será del 100% de la pensión.

d) Durante la realización del trabajo por cuenta ajena o por cuenta propia, compatible con la pensión de jubilación, los empresarios y los trabajadores cotizarán a la Seguridad Social únicamente por incapacidad temporal y por contingencias profesionales, según la normativa reguladora del régimen del sistema de

la Seguridad Social correspondiente, si bien quedarán sujetos a una cotización especial de solidaridad del 9%, no computable para las prestaciones, que en los régimen de trabajadores por cuenta ajena se distribuirá entre empresario y trabajador, corriendo a cargo del empresario el 7% y del trabajador el 2%. En el caso de que el trabajo se realice por cuenta propia, el importe de estas cuotas se deducirá del de la correspondiente pensión.

- **Personas con discapacidad**

Finalmente, en el caso de personas con discapacidad reconocida igual o superior al 65%, el artículo 206 del TRLGSS y el Real Decreto 1531/2003 establecen que la edad ordinaria de 65 años se reducirá en un período equivalente al que resulte de aplicar al tiempo efectivamente trabajado los coeficientes que se indican, siempre que durante los períodos de trabajo realizado se acrediten los siguientes grados de discapacidad:

❑ El coeficiente del 0,25, en los casos en que el trabajador tenga acreditado un grado de discapacidad igual o superior al 65%.

❑ El coeficiente del 0,50, en los casos en que el trabajador tenga acreditado un grado de discapacidad igual o superior al 65% y acredite la necesidad del concurso de otra persona para la realización de los actos esenciales de la vida ordinaria.

Persona con discapacidad del 75% con necesidad de ayuda de otra persona que ha trabajado 16 años en esas circunstancias:
❑ Reducirá en 8 años su edad de jubilación (16 x 0,50).
❑ Podrá jubilarse a los 57 años, sin coeficiente reductor.
❑ Le computarán como cotizados 24 años (16 + 8).

En estos casos, el tiempo restante hasta la edad ordinaria de jubilación se considerará cotizado a efectos de determinar la cuantía de la pensión. Por otra parte, la Ley 40/2007 prevé la posibilidad de que esta anticipación en la edad de jubilación también se aplique a las personas con un grado de discapacidad igual o superior al 45%, siempre que se trate de discapacidades reglamentariamente determinadas en los que concurran evidencias que determinan de forma generalizada y apreciable una reducción de la esperanza de vida de esas personas. La aplicación de los correspondientes coeficientes reductores de la edad en ningún caso dará ocasión a que el interesado pueda acceder a la pensión de jubilación con una edad inferior a la de 52 años.

Por último, si la discapacidad no supera el 65% pero sí el 45%, y evidencia una reducción de la esperanza de vida, en los términos regulados en el Real Decreto 1851/2009, modificado por Real Decreto 370/2023, se establece una edad de jubilación anticipada de 56 años.

- Cuantías

Las cuantías máxima y mínima de las pensiones de jubilación para este año 2026 se hallan establecidas en el Real Decreto Ley 3/2026, de 3 de febrero. La cuantía máxima de las pensiones del sistema de Seguridad Social durante este ejercicio estará limitada a la cantidad de **3.359,60 euros**, entendiendo esta cantidad referida al importe de una mensualidad ordinaria, sin perjuicio de las pagas extraordinarias que pudieran corresponder. Dicho límite mensual será objeto de adecuación en aquellos supuestos en que el pensionista tenga derecho o no a percibir 14 pagas al año, comprendidas en uno u otro caso, las pagas extraordinarias, a efectos de que la cuantía no supere o pueda alcanzar, respectivamente, **47.034,40 euros**, en cómputo anual. Por lo que se refiere a las cuantías mínimas de las pensiones para el año 2026, las podemos ver en el cuadro que aparece a continuación:

CLASE DE PENSIÓN	TITULARES		
	Con cónyuge a cargo — Euros/año	Sin cónyuge: unidad económica unipersonal — Euros/año	Con cónyuge no a cargo — Euros/año
Jubilación			
Titular con sesenta y cinco años	17.592,40	13.106,80	12.441,80
Titular menor de sesenta y cinco años	17.592,40	12.262,60	11.590,60
Titular con sesenta y cinco años procedente de gran invalidez	26.385,80	19.660,20	18.662,00

- Cobro

El cobro de la pensión se produce por meses vencidos, con un total de 14 pagos al año, por cuanto se efectúan pagos adicionales en los meses de junio y noviembre. Del montante global de la pensión que resulte ha de detraerse la correspondiente retención a cuenta del Impuesto sobre la Renta de las Personas Físicas (de acuerdo con lo establecido en el Reglamento aprobado por Real Decreto 439/2007, de 30 de marzo). El importe líquido de la pensión es satisfecho por el Instituto Nacional de la Seguridad Social por cualquiera de los medios ordinarios de pago, a opción del propio beneficiario.

Un trabajador soltero y sin hijos, que cumple el 1 de marzo de 2026 los 61 años, y que ha cotizado un total de 40 años a la Seguridad Social desde que empezó a trabajar en mayo del año 1966, quiere jubilarse anticipadamente, al haber cesado por despido en su último trabajo por cuenta ajena, al que se había venido dedicando ininterrumpidamente durante los últimos 5 años. Le han dicho en el INSS que le resulta una base reguladora de 2.000 euros mensuales. Se pregunta si tiene derecho a la pensión de jubilación y, en caso afirmativo, qué importe tendrá dicha pensión.

Este trabajador tiene la condición de mutualista y, por tanto, puede acogerse a la jubilación anticipada a partir de los 60 años si cumple los requisitos de carencia genérica y específica, algo seguro en su caso. La pensión a la que tendría derecho sería la siguiente:

La pensión ordinaria sería el 100% (correspondiente a 40 años cotizados) de su base reguladora, es decir 2.000 euros.

Teniendo en cuenta que reduce en 4 años la edad de jubilación, se le aplicará un coeficiente reductor del 24% (6% por cada año, puesto que acredita 40 años de cotización y el cese no ha sido voluntario).

Resultado: el importe de su pensión será de 1.0520,00 euros mensuales, es decir, 21.280,00 euros anuales, cantidad superior al importe mínimo de la pensión de jubilación de 2026 en su situación, por lo que no tendrá derecho a complementos a mínimos.

4.9. Pensiones del Seguro Obligatorio de Vejez e Invalidez (SOVI)

El sistema de seguros sociales que precedió a nuestro actual sistema de Seguridad Social contenía mecanismos de protección específicos para las distintas contingencias. Los precedentes históricos de nuestra actual pensión de jubilación son los siguientes:

☐ *La Ley de 27 de febrero de 1908 crea el Instituto Nacional de Previsión, y configura un seguro social voluntario y subsidiado de vejez.*
☐ *El 19 de marzo de 1919 se transforma en obligatorio, denominándose Retiro Obrero.*
☐ *La Ley de 1 de septiembre de 1939 lo sustituye por el Subsidio de Vejez.*
☐ *Por Decreto de 18 de abril de 1947 se integra en el denominado Seguro Obligatorio de Vejez e Invalidez (SOVI).*

❑ *El 1 de enero de 1967 entra en vigor la primera Ley General de la Seguridad Social, que contiene la pensión de jubilación tal como la conocemos y que actualmente se regula en el vigente TRLGSS.*

Así pues, el SOVI nace en 1947 para establecer pensiones por vejez e invalidez, y se amplía en el año 1955 para dar cabida a las pensiones de viudedad para causantes fallecidos a partir de enero de 1956. Pero el SOVI no solamente es un residuo histórico de nuestro actual sistema de pensiones, aun cuando que queda extinguido el 31 de diciembre de 1966 al entrar en vigor nuestro sistema de Seguridad Social actual el día 1 de enero de 1967. Como decimos, y pesar de esta extinción, el derecho a percibir las prestaciones del SOVI se ha mantenido hasta nuestros días merced a normas de carácter transitorio que se han venido sucediendo una tras otra, y que son las siguientes:

1) *Decreto 1564/1967, de 6 de julio.*

2) *Disposición Transitoria 2ª de la Ley 24/1972, de 21 de junio.*

3) *Disposición Transitoria 2ª de la Ley General de la Seguridad Social de 30 de mayo de 1974.*

4) *Disposición Transitoria 2ª de nuestro actual TRLGSS. Esta Disposición Transitoria establece lo siguiente:*

"Quienes en 1 de enero de 1967, cualquiera que fuese su edad en dicha fecha, tuviesen cubierto el período de cotización exigido por el extinguido Seguro de Vejez e Invalidez o que, en su defecto, hubiesen figurado afiliados al extinguido Régimen de Retiro Obrero Obligatorio, conservarán el derecho a causar las prestaciones del primero de dichos seguros, con arreglo a las condiciones exigidas por la legislación del mismo, y siempre que los interesados no tengan derecho a ninguna pensión a cargo de los regímenes que integran el Sistema de la Seguridad Social, con excepción de las pensiones de viudedad de las que puedan ser beneficiarios; entre tales pensiones se entenderán incluidas las correspondientes a las entidades sustitutorias que han de integrarse en dicho sistema, de acuerdo con lo previsto en la disposición transitoria vigésima primera.

La cuantía de las pensiones del Extinguido SOVI, concurrentes o no con otras pensiones públicas, será la que se establezca en la correpsondiente Ley de Presupuestos Generales del Estado.

.../...

...../...

Cuando concurran la pensión de viudedad y la del Seguro Obligatorio de Vejez e Invalidez, su suma no podrá ser superior al doble del importe de la pensión mínima de viudedad para beneficiarios con 65 o más años que esté establecido en cada momento. Caso de superarse dicho límite, se procederá a la minoración de la cuantía de la pensión del Seguro Obligatorio de Vejez e Invalidez, en el importe necesario para no exceder del límite indicado.

Lo establecido en la disposición adicional quincuagésima tercera, apartado 4, se aplicará a la revalorización de las pensiones del Seguro Obligatorio de Vejez e Invalidez en los supuestos en que proceda dicha revalorización."

4.9.1. La vejez en el SOVI

La vejez en el SOVI tiene las siguientes características:

A) Beneficiarios

Deben cumplir los siguientes requisitos:

❑   Tener cumplidos los 65 años de edad o 60 en el supuesto de vejez por causa de incapacidad, que debe ser permanente y total para la profesión habitual y no derivada de accidente de trabajo o enfermedad profesional.

❑   No tener derecho a ninguna otra pensión a cargo de los regímenes que integran el Sistema de la Seguridad Social, o a sectores laborales pendientes de integración en el mismo, con excepción de las pensiones de viudedad de las que puedan ser beneficiarios.

❑   Haber estado afiliado al Régimen del Retiro Obrero o tener cubiertos 1.800 días de cotización al Régimen del Seguro Obligatorio de Vejez e Invalidez (SOVI) antes de 1 de enero de 1967, fecha de entrada en vigor del sistema de Seguridad Social.

B) Cuantía

Es una pensión vitalicia y su cuantía es fija. Los importes de esta pensión, en 2026 se hallan establecidos en el Real Decreto Ley 3/2026, de 3 de febrero. Si no concurre con otras pensiones, es de 599,60 euros mensuales, por 14 pagas anuales. Si concurre con otras pensiones, el importe será de 582,10 euros mensuales. Veamos el cuadro resultante:

Pensiones SOVI	Cuantías Mensuales	Cuantías Anuales
Vejez, invalidez y viudedad	560,00 euros	7.840,00 euros
Prestaciones SOVI concurrentes	543,60 euros	7.610,40 euros

C) Incompatibilidades

Las pensiones del SOVI son incompatibles entre sí, así como con las pensiones del sistema de Seguridad Social, debiendo optar entre una u otras. La única excepción es la pensión de viudedad, que es compatible con el SOVI, si bien la suma de la pensión o pensiones de viudedad y la del SOVI no podrá ser superior al doble de la pensión mínima de viudedad correspondiente a beneficiarios con 65 o más años vigente en cada momento, en cómputo anual. De superarse el límite indicado, se minorará la cuantía de la pensión SOVI en el importe necesario para no exceder dicho límite.

4.9.2. La invalidez en el SOVI

A) Beneficiarios

Deben cumplir los siguientes requisitos:

❑ Que la invalidez sea absoluta y permanente para la profesión habitual y sea la causa determinante del cese en el trabajo.

❑ Que no sea por causa imputable al trabajador o derivada de un accidente de trabajo o enfermedad profesional indemnizables.

❑ Acreditar 1.800 días de cotización al SOVI antes del 1 de enero de 1967 (en este caso no se considera válida la mera afiliación al extinguido Régimen de Retiro Obrero).

❑ No tener derecho a ninguna otra pensión a cargo de los regímenes que integran el Sistema de la Seguridad Social o a sectores laborales pendientes de integración en el mismo, con excepción de las pensiones de viudedad de las que puedan ser beneficiarios.

❑ Tener 50 años cumplidos. No obstante, si la invalidez está constituida por la pérdida total de movimientos en las extremidades superiores o inferiores, o pérdida total de visión, o enajenación mental incurable, se reconoce a partir de los 30 años.

B) Cuantía

Es una pensión vitalicia y su cuantía es fija. Los importes son los mismos que los de las pensiones de jubilación SOVI.

C) Incompatibilidades

Las pensiones del SOVI son incompatibles entre sí, así como con las pensiones del sistema de Seguridad Social, debiendo optar. La única excepción es la pensión de viudedad, que es compatible con el SOVI, si bien la suma de la pensión o pensiones de viudedad y la del SOVI no podrá ser superior al doble de la pensión mínima de viudedad correspondiente a beneficiarios con 65 o más años vigente en cada momento, en cómputo anual. De superarse el límite indicado, se minorará la cuantía de la pensión SOVI en el importe necesario.

4.9.3. La viudedad en el SOVI

Su cuantía, en 2026, también es de 599,60 euros mensuales. Tiene los siguientes requisitos, de acuerdo con las características del causante:

A) Causante (fallecido) pensionista del SOVI con fallecimiento anterior a 1 de enero de 1967

❑ Para el causante: se requiere que el fallecimiento se haya producido a partir de 1 de enero de 1956.

❑ Para el solicitante:

a) Debe tener cumplidos 65 años en la fecha del fallecimiento del causante o estar totalmente incapacitado para todo trabajo. No obstante, si en dicha fecha el solicitante no hubiera alcanzado la edad de 65 años, pero tuviera más de 50, conserva el derecho a que se le reconozca la pensión al cumplimiento de los 65 años.

b) No debe tener derecho a una pensión de vejez o invalidez SOVI.

c) Debe haber contraído matrimonio con el causante 10 años antes, como mínimo, del fallecimiento.

B) Causante pensionista del SOVI con fallecimiento posterior a 31 de diciembre de 1966

Cuando el fallecimiento del pensionista es posterior a 1 de enero de 1967, al solicitante se le exigen los mismos requisitos que los establecidos para tener derecho a la pensión de viudedad del Régimen General.

C) Causante que no es pensionista del SOVI

❑ Para el causante:

a) Que el fallecimiento se haya producido a partir de 1 de enero de 1956.

b) Que haya estado afiliado al Retiro Obrero Obligatorio o bien que acredite 1.800 días de cotización al SOVI antes de 1 de enero de 1967.

❏ Para el solicitante se exigen los mismos requisitos que los establecidos para el supuesto de causante pensionista fallecido con anterioridad al 1 de enero de 1967.

Una persona mayor de 65 años, que no tiene derecho a pensión alguna de la Seguridad Social se pregunta si por el hecho de haber trabajado en su juventud un total de 6 años en periodos intermitentes entre 1958 y 1966, puede tener derecho a alguna prestación.

Puede solicitar el reconocimiento de una pensión de vejez del SOVI, puesto que tiene la edad necesaria y acredita una cotización superior a 1.800 días antes de 1 de enero de 1967. Esa pensión SOVI tendrá en el año 2026 un importe de 599,60 euros mensuales.

4.10. Muerte y supervivencia

El riesgo de muerte se enfoca por la Seguridad Social de forma muy diferente a como lo hacen los sistemas sucesorios del Derecho Civil. Mientras que este descansa sobre la potestad del causante de disponer "mortis causa", de su patrimonio, o sobre los vínculos familiares en la sucesión legítima y en la intestada, el principio esencial en la Seguridad Social es facilitar medios para la subsistencia de quienes dependieron del causante y no se hallen en condiciones de atender a la subsistencia propia.

La muerte, independientemente de causar el efecto de extinguir la relación jurídica de la Seguridad Social de que sea parte el fallecido, origina unas situaciones de necesidad debido:

❏ A un aumento de gastos que hay que efectuar (gastos de sepelio, funeral, etc.). La Seguridad Social atenderá a esta contingencia entregando a los familiares una cantidad para que sufraguen los gastos.

❏ A la falta de ingresos que como consecuencia de aquella pueden ocasionarse. Este riesgo es de supervivencia de ciertos familiares a la muerte del asegurado, que quedan privados de las fuentes económicas de subsistencia. La Seguridad Social otorgará a los familiares prestaciones para que puedan hacer frente a las necesidades.

El fundamento de la protección es, pues, la situación de necesidad, ligada a la relación de parentesco de los beneficiarios –aquellos que reciben la protección– con el causante, es decir, el fallecido que genera el derecho. Por ello, el derecho a las prestaciones económicas se configura como propio de los familiares beneficiarios del causante, no como un derecho transmitido por este, a diferencia del sistema sucesorio del Derecho Civil.

Como ya vimos en el apartado anterior, los seguros sociales anteriores a nuestro sistema de Seguridad Social ya contenían coberturas para estos casos de muerte y supervivencia, llegando a integrarse en el SOVI la protección por viudedad. En la actualidad, esta protección está regulada en los artículos 216 a 234 del TRLGSS que en esta materia y, al igual que ha sucedido, como hemos podido ver, en las prestaciones de jubilación e incapacidad permanente, ha incorporado las importantes novedades introducidas por la reforma operada por la Ley 40/2007, de 4 de diciembre.

4.10.1. Prestaciones

El artículo 216 del texto refundido de la Ley General de la Seguridad Social enumera las prestaciones que pueden otorgarse en caso de fallecimiento del causante:

❑ Como protección por el fallecimiento:

a) Auxilio por defunción.

b) Indemnizaciones a tanto alzado en caso de muerte causada por accidente de trabajo o enfermedad profesional.

❑ Como protección de supervivencia:

a) Pensión vitalicia de viudedad.

b) Prestación temporal de viudedad.

c) Pensión de orfandad.

d) Pensión vitalicia en favor de familiares.

e) Subsidio temporal en favor de familiares.

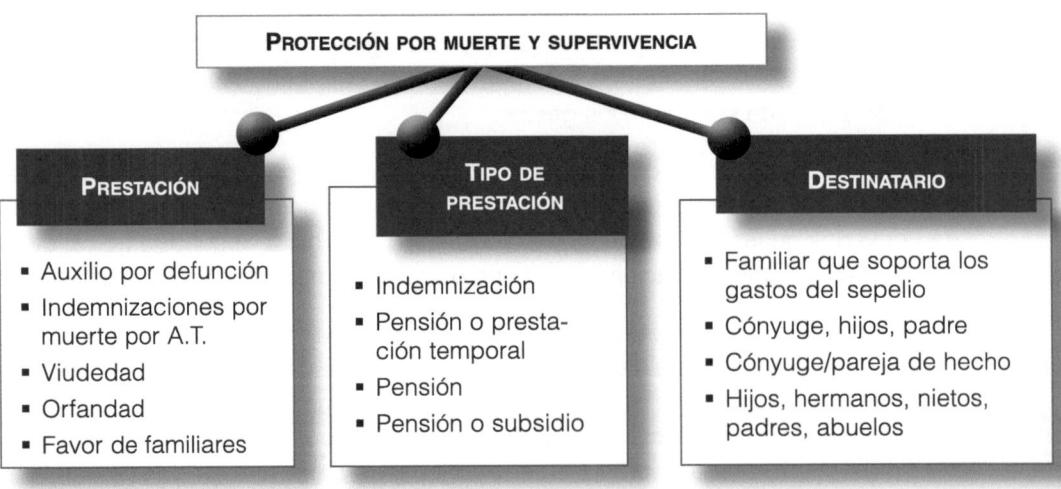

4.10.2. Características comunes

Podemos señalar las siguientes características comunes a todas estas prestaciones:

❑ Todas las prestaciones son imprescriptibles, salvo el auxilio por defunción, que prescribe a los 5 años del momento en que haya producido el hecho causante (artículos 53 y 230 TRLGSS).

❑ Hecho causante:

a) Norma general: el hecho causante se producirá el día del fallecimiento del causante-asegurado.

b) Excepción: pensión de orfandad de hijo póstumo. Se producirá el hecho causante en la fecha del nacimiento.

❑ Efectos económicos:

a) Se producirán el día siguiente del hecho causante, cuando este no tuviera la condición de pensionista.

b) Día primero del mes siguiente al del hecho causante, cuando este tuviera la condición de pensionista.

❑ Retroactividad del reconocimiento cuando la solicitud se presenta fuera del plazo de 3 meses establecido: 3 meses de retroactividad máxima desde la fecha de la solicitud.

4.10.3. Fallecimiento

Sobre el hecho del fallecimiento, debemos tener en cuenta que este puede ser, a los efectos de la protección de Seguridad Social, de dos tipos:

❑ Biológico.

❑ Presunto. Puede darse por dos vías:

♦ Declaración civil de fallecimiento (arts. 193 al 197 CC).

a) 10 años, con carácter general.

b) 5 años, si el desaparecido cumpliría 75 años dentro de ese periodo.

c) 2 años, si desapareció en situación de riesgo inminente, catástrofe aérea o naufragio.

♦ Desaparición (art. 217.3 TRLGSS): los trabajadores que hubieran desaparecido con ocasión de un accidente, sea o no de trabajo, en circunstancias

que hagan presumible su muerte y sin que se hayan tenido noticias suyas durante los noventa días naturales siguientes al del accidente, podrán causar las prestaciones por muerte y supervivencia, excepción hecha del auxilio por defunción. En estos casos, los efectos económicos para los beneficiarios se retrotraerán a la fecha del accidente.

Como hemos señalado, la Ley 40/2007 supuso la introducción de notables novedades en esta protección desde 1 de enero de 2008, de entre las que podemos destacar las siguientes:

❑ Incorporación de las parejas de hecho a la protección por viudedad, auxilio por defunción e indemnizaciones por accidentes de trabajo y enfermedades profesionales.

❑ Exigencia de pensión compensatoria para la protección por viudedad en caso de divorcio.

❑ Introducción de una prestación temporal de viudedad de 2 años de duración.

❑ Reconocimiento de derechos a uniones de hecho anteriores a la entrada en vigor de la norma.

❑ Se encomienda al Gobierno, siguiendo las recomendaciones del Pacto de Toledo, la elaboración de un estudio que aborde la reforma integral de la pensión de viudedad.

• Requisitos

Sobre los requisitos, en esta ocasión debemos tener en cuenta que para tener derecho a la protección que corresponda (viudedad, orfandad, etc.) deben cumplirse los requisitos previstos para el causante y los establecidos para el beneficiario. Estos últimos los iremos viendo prestación por prestación, y ahora podemos señalar los requisitos que debe reunir el causante para generar el derecho a las prestaciones en sus beneficiarios. Son los siguientes:

AFILIACIÓN { *Debe tratarse de personas afiliadas, encuadradas en el Régimen General o en un Régimen Especial que contenga esta protección. Además, en su caso, debe estar en alta o situación asimilada al alta, aunque este requisito no es imprescindible.*

CARENCIA { *Carencia (solo se exige cuando el fallecimiento se ha producido por enfermedad común). Debe acreditar el causante cotización de al menos 500 días en los 5 años anteriores al fallecimiento o al cese de la obligación de cotizar. No obstante, tenemos dos excepciones a esta regla:*

❑ *El auxilio por defunción no requiere carencia nunca.*

❑ *La orfandad no requiere carencia si el causante fallece estando en alta o situación asimilada al alta.*

OTRAS SITUACIONES

Desde cualquier situación, incluso desde no alta, el derecho a las pensiones se reconocerá si acredita 15 años cotizados, aunque no tenga 500 días en los últimos 5 últimos años.

❑ *Pensionistas de IP y jubilación contributiva (o quienes tuvieran derecho y no la hubieran solicitado): no necesitan alta ni carencia.*

❑ *También generarán derecho los perceptores de los subsidios de incapacidad temporal, riesgo durante el embarazo, nacimiento y cuidado del menor o riesgo durante la lactancia natural, que cumplan el período de cotización que, en su caso, esté establecido.*

❑ *Contratos a tiempo parcial: para determinar la carencia, se procede a calcular el coeficiente global de parcialidad y se proyecta este sobre el tiempo exigido en los casos de trabajo a jornada completa.*

Realicemos a continuación el siguiente ejercicio, indicando si las siguientes afirmaciones son verdaderas o falsas:

	VERDADERO	FALSO
Para generar derecho a la pensión de viudedad, siempre se exige al causante un periodo previo de cotización de 500 días.	....	....
La pensión de viudedad puede ser reconocida a las parejas de hecho.	....	....
La orfandad es una prestación consistente en una indemnización a tanto alzado.	....	....
El auxilio por defunción es un subsidio periódico de duración limitada.	....	....
Las prestaciones en favor de familiares son siempre no contributivas.	....	....
El periodo de cotización previo o "carencia" para la pensión de viudedad, en los supuestos de contratos a tiempo parcial, se calcula del mismo modo que para la pensión de jubilación.	....	....

 *Veamos a continuación la solución:*

	VERDADERO	FALSO
Para generar derecho a la pensión de viudedad, siempre se exige al causante un periodo previo de cotización de 500 días.		X
La pensión de viudedad puede ser reconocida a las parejas de hecho.	X	
La orfandad es una prestación consistente en una indemnización a tanto alzado.		X
El auxilio por defunción es un subsidio periódico de duración limitada.		X
Las prestaciones en favor de familiares son siempre no contributivas.		X
El periodo de cotización previo o "carencia" para la pensión de viudedad, en los supuestos de contratos a tiempo parcial, se calcula del mismo modo que para la pensión de jubilación.		X

Veamos a continuación, cada una de las prestaciones:

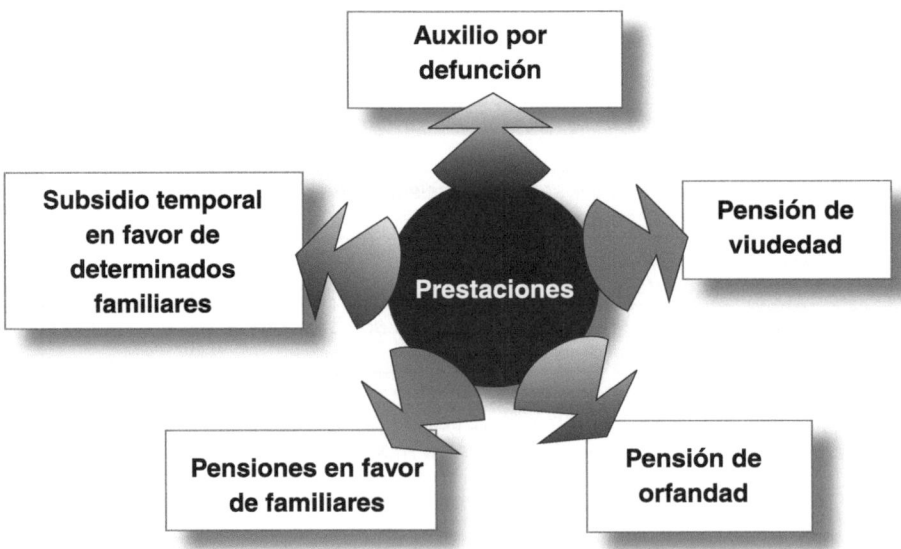

A) Auxilio por defunción

Veamos sus notas definitorias:

❏ El fallecimiento del causante producido en el año 2026 dará derecho a la percepción de la cantidad de 46,50 euros.

❏ No se exige período alguno de cotización.

❏ Prescribe a los 5 años contados a partir del día siguiente al del fallecimiento.

❏ Será beneficiario del auxilio quien haya soportado los gastos del sepelio. Se presume que dichos gastos los han soportado, por este orden, el cónyuge superviviente, el sobreviviente de una pareja de hecho en los términos regulados en el apartado 3 del artículo 218 del TRLGSS, hijos o parientes del fallecido que convivieran con él habitualmente.

B) Pensión de viudedad

Veamos esquemáticamente los aspectos básicos de esta prestación:

a) Tipos de prestación.

♦ **Pensión:** con carácter general.

♦ **Prestación temporal:** cuando el cónyuge superviviente no acredite derecho a pensión por la duración del matrimonio y la causa de la muerte, y reúna el resto de requisitos generales, tendrá derecho a una prestación temporal en cuantía igual a la de la pensión de viudedad que le hubiera correspondido y con una duración de dos años.

b) Posibles beneficiarios.

♦ **Cónyuge superviviente.** Téngase en cuenta que la Ley 13/2005, de 1 de julio, incorpora al Código Civil las uniones matrimoniales homosexuales. Esta norma entró en vigor el día 2 de julio de 2005, y la primera pensión de viudedad reconocida al cónyuge de un matrimonio homosexual se produjo el día 7 de octubre de 2005.

♦ **Ex-cónyuge superviviente:** por divorcio o nulidad.

◊ El derecho a pensión de viudedad de las personas divorciadas o separadas judicialmente quedará condicionado, en todo caso, a que, siendo acreedoras de la pensión compensatoria a que se refiere el artículo 97 del Código Civil, esta quedara extinguida por el fallecimiento del causante no debiendo haber contraído nuevas nupcias o constituido pareja de hecho en los términos señalados en el TRLGSS.

◊ Si, habiendo mediado divorcio, se produjera una concurrencia de beneficiarios con derecho a pensión, esta será reconocida en cuantía

proporcional al tiempo vivido con el causante por cada uno de los que fueron –en este caso, como hemos visto, únicamente si recibían pensión compensatoria en el momento del fallecimiento– o son cónyuges del mismo, garantizándose, en todo caso, el 40% a favor del cónyuge o pareja de hecho superviviente.

◊ En caso de nulidad matrimonial, el derecho a la pensión de viudedad corresponderá al superviviente al que se le haya reconocido el derecho a la indemnización a que se refiere el artículo 98 del Código Civil ("el cónyuge de buena fe cuyo matrimonio haya sido declarado nulo tendrá derecho a una indemnización si ha existido convivencia conyugal"), siempre que no hubiera contraído nuevas nupcias o hubiera constituido una pareja de hecho. La pensión será reconocida en cuantía proporcional al tiempo vivido con el causante.

◊ En todo caso, tendrán derecho a la pensión de viudedad las mujeres que, aun no siendo acreedoras de pensión compensatoria, pudieran acreditar que eran víctimas de violencia de género en el momento de la separación judicial o el divorcio mediante sentencia firme, o archivo de la causa por extinción de la responsabilidad penal por fallecimiento; en defecto de sentencia, a través de la orden de protección dictada a su favor o informe del Ministerio Fiscal que indique la existencia de indicios de violencia de género, así como por cualquier otro medio de prueba admitido en Derecho.

♦ **Pareja de hecho superviviente:** la Ley 40/2007, de 4 de diciembre y la Ley 21/2021, de 28 de diciembre, han regulado la protección por viudedad de las parejas de hecho del modo que más adelante veremos.

c) **Supuesto especial de cobro de la prestación temporal de viudedad:** en los supuestos excepcionales en que el fallecimiento del causante derivara de enfermedad común, no sobrevenida tras el vínculo conyugal, se requerirá además, para el cobro de la pensión, que el matrimonio se hubiera celebrado con un año de antelación como mínimo a la fecha del fallecimiento o, alternativamente, la existencia de hijos comunes. No se exigirá dicha duración del vínculo matrimonial cuando en la fecha de celebración del mismo se acreditara un período de convivencia de hecho acreditada con el causante que, sumado al de duración del matrimonio, hubiera superado los dos años. En estos casos no se percibirá pensión de viudedad, pero sí la prestación temporal de dos años de duración a la que nos hemos referido anteriormente.

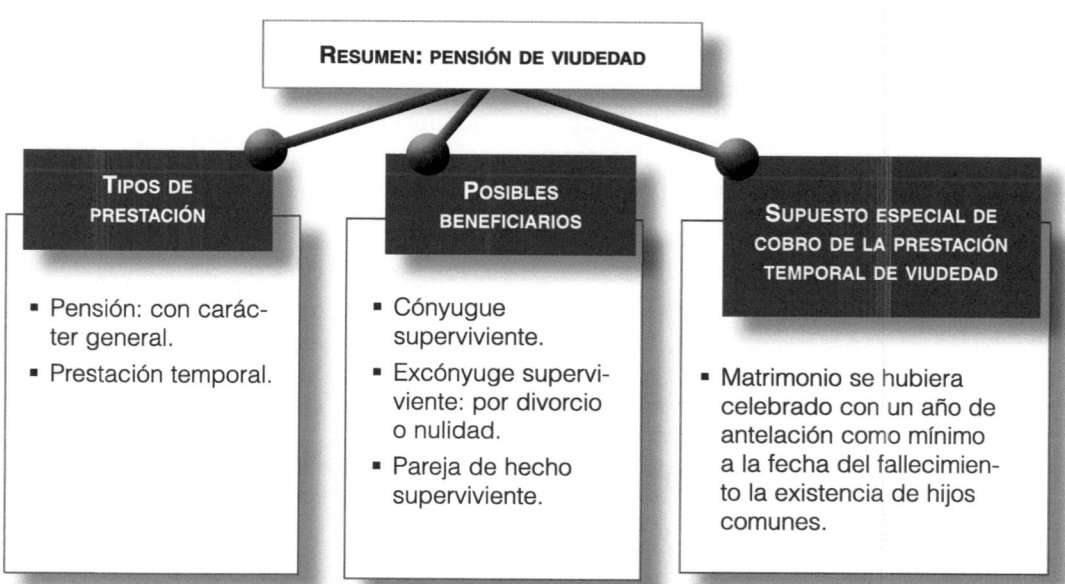

Como hemos anticipado, la protección de las parejas de hecho se incorporó a la Seguridad Social con la Ley 40/2007. No obstante, la Ley 21/2021 ha introducido importantes novedades. Veamos su régimen jurídico actual (artículo 221 del TRLGSS):

❑ **Definición:** se reconocerá como pareja de hecho la constituida, con análoga relación de afectividad a la conyugal, por quienes, no hallándose impedidos para contraer matrimonio, no tengan vínculo matrimonial con otra persona ni constituida pareja de hecho, y acrediten, mediante el correspondiente certificado de empadronamiento, una convivencia estable y notoria con carácter inmediato al fallecimiento del causante y con una duración ininterrumpida no inferior a cinco años, salvo que existan hijos en común, en cuyo caso solo deberán acreditar la constitución de la pareja de hecho de conformidad con lo previsto en el párrafo siguiente.

❑ **Acreditación:** mediante certificación de la inscripción en alguno de los registros específicos existentes en las Comunidades Autónomas o ayuntamientos del lugar de residencia o mediante documento público en el que conste la constitución de dicha pareja.

❑ **Periodo:** tanto la mencionada inscripción como la formalización del correspondiente documento público deberán haberse producido con una antelación mínima de dos años respecto a l a fecha del fallecimiento del causante.

❑ **Extinción de la pareja de hecho:** cuando la pareja de hecho se extinga por voluntad de uno o ambos convivientes, el posterior fallecimiento de uno de ellos solo dará derecho a pensión de viudedad con carácter vitalicio al superviviente cuando no

haya constituido una nueva pareja de hecho ni contraído matrimonio. Además, se requerirá que la persona supérstite sea acreedora de una pensión compensatoria y que esta se extinga con motivo de la muerte del causante, salvo que se trate de una víctima de violencia de género. En el supuesto de que la cuantía de la pensión de viudedad fuera superior a la pensión compensatoria, aquella se disminuirá hasta alcanzar la cuantía de esta última.

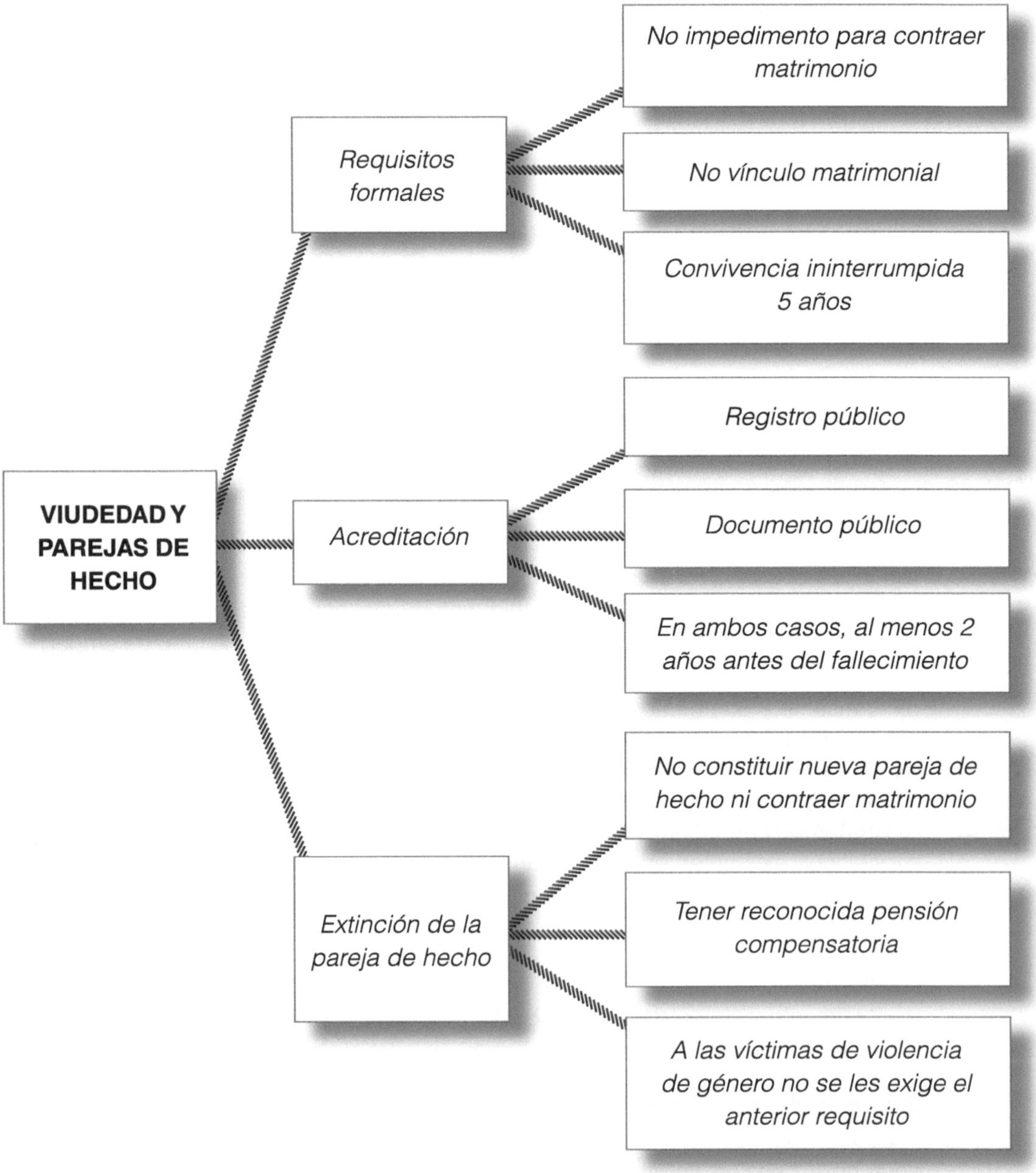

```
                                          ┌─────────────────────────────┐
                                          │  No impedimento para contraer│
                                          │          matrimonio          │
                                          └─────────────────────────────┘
                    ┌──────────────┐      ┌─────────────────────────────┐
                    │  Requisitos  │──────│     No vínculo matrimonial   │
                    │   formales   │      └─────────────────────────────┘
                    └──────────────┘      ┌─────────────────────────────┐
                                          │   Convivencia ininterrumpida │
                                          │            5 años            │
                                          └─────────────────────────────┘

                                          ┌─────────────────────────────┐
                                          │       Registro público       │
                                          └─────────────────────────────┘
┌──────────────┐    ┌──────────────┐      ┌─────────────────────────────┐
│  VIUDEDAD Y  │    │ Acreditación │──────│      Documento público       │
│  PAREJAS DE  │────│              │      └─────────────────────────────┘
│    HECHO     │    └──────────────┘      ┌─────────────────────────────┐
└──────────────┘                          │  En ambos casos, al menos 2  │
                                          │  años antes del fallecimiento│
                                          └─────────────────────────────┘

                                          ┌─────────────────────────────┐
                                          │  No constituir nueva pareja de│
                                          │ hecho ni contraer matrimonio │
                                          └─────────────────────────────┘
                    ┌──────────────┐      ┌─────────────────────────────┐
                    │Extinción de la│─────│  Tener reconocida pensión    │
                    │pareja de hecho│     │        compensatoria         │
                    └──────────────┘      └─────────────────────────────┘
                                          ┌─────────────────────────────┐
                                          │  A las víctimas de violencia │
                                          │  de género no se les exige el│
                                          │      anterior requisito      │
                                          └─────────────────────────────┘
```

- Cuantía

En primer lugar hay que determinar la **base reguladora** de la pensión. Se hará del siguiente modo:

❑ **Fallecimiento por contingencia común:** dividiremos 24 bases de cotización entre 28. Las bases se elegirán por el beneficiario dentro de los últimos 15 años por beneficiarios; deben ser 24 meses ininterrumpidos y no hay actualización de bases ni integración de lagunas, es decir, que si hay algún mes de esos 24 en los que el causante no cotizó, no se aplicará importe alguno a ese mes a efectos de determinar la base reguladora de la pensión.

❑ **Fallecimiento por contingencia profesional**: la base reguladora será el salario real al morir, incluyendo los conceptos fijos y los variables. El importe de estos últimos se determinará por el promedio del último año.

Una vez hallada la base reguladora, aplicaremos uno de estos porcentajes:

❑ 52% de la Base Reguladora, con carácter general.

❑ 60% de la Base Reguladora, a partir de 1 de enero de 2019, en aquellos casos en que el beneficiario tenga 65 o más años y no reciba ingresos del trabajo o de otra pensión pública, y siempre que no obtenga ingresos del capital superiores al importe de la pensión mínima de viudedad.

❑ 70% de la base reguladora correspondiente, siempre que durante todo el período de percepción de la pensión se cumplan los siguientes requisitos:

a) Que el pensionista tenga cargas familiares. Se entiende que existen cuando concurren las siguientes circunstancias:

◊ Que conviva con hijos menores de 26 años o mayores incapacitados, o menores acogidos. A estos efectos se considera que existe incapacidad cuando acredite una discapacidad igual o superior al 33%.

◊ Que los rendimientos de la unidad familiar, incluido el propio pensionista dividido entre el número de miembros que la componen, no superen, en cómputo anual el 75% del salario mínimo interprofesional vigente en cada momento, excluida la parte proporcional de las dos pagas extraordinarias.

b) Que la pensión de viudedad constituya la principal o única fuente de ingresos entendiendo que se cumple este requisito cuando el importe anual de la pensión, incluido el complemento a mínimos que pudiera corresponder, sea igual o superior al 50% del total de los ingresos del pensionista en cómputo anual.

c) Que los rendimientos anuales del pensionista por todos los conceptos no superen la cuantía resultante de sumar al límite que, en cada ejercicio económico, esté previsto para el reconocimiento de los complementos por mínimos de las pensiones contributivas, el importe anual que, en cada ejercicio económico, corresponda a la pensión mínima de viudedad con cargas familiares. En 2026 el límite de ingresos es de 27.034,40 euros anuales (17.592,40 + 9.442,00).

Cuantía de la pensión de viudedad:

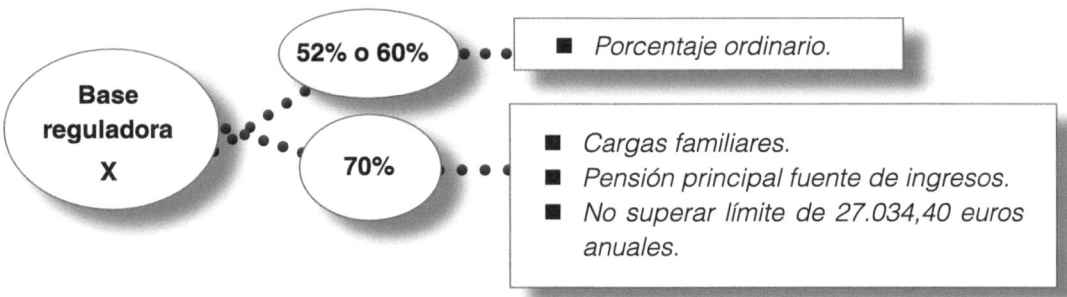

- Compatibilidad

La pensión de viudedad será compatible con cualesquiera rentas de trabajo, pero será incompatible con el reconocimiento de otra pensión de viudedad, en cualquiera de los regímenes de la Seguridad Social, salvo que las cotizaciones acreditadas en cada uno de los regímenes se superpongan, al menos, durante 15 años. Por otra parte, hay que tener en cuenta que la suma de las cuantías de las pensiones por muerte y supervivencia no podrá exceder del importe de la base reguladora que corresponda, en función de las cotizaciones efectuadas por el causante.

- Extinción

Finalmente, por lo que se refiere a las causas de extinción de la pensión de viudedad, son las siguientes:

❑ **Contraer nuevo matrimonio o pareja de hecho**, salvo si concurren simultáneamente los siguientes requisitos:

♦ El nuevo cónyuge es mayor de 61 años o tiene una IP absoluta o una gran incapacidad, o una discapacidad del 65% o superior.

♦ La pensión es la única o principal fuente de ingresos (75% al menos del total de ingresos).

♦ Los ingresos anuales del matrimonio, incluida la pensión, no superan el doble del SMI (34.188,00 euros en 2026). Si cumple los otros dos requisitos y no cumple este último, se minorará la pensión en la diferencia, para no exceder del doble del SMI.

♦ Si genera nueva pensión de viudedad en este matrimonio o unión de hecho, será incompatible con la anterior. En ese caso, debe optar por una de las dos pensiones.

❑ **Declaración judicial** (sentencia firme) de culpabilidad en la muerte del causante. También si se produjo homicidio o lesiones (art. 1.1 Ley Orgánica 1/2004 en los casos de violencia de género), salvo si medió reconciliación en este último caso.

❑ **Fallecimiento.**

❑ **Comprobación de que el causante desaparecido en accidente no falleció realmente.**

Uno de los miembros de una pareja de hecho, sin hijos en común, constituida de acuerdo con lo exigido en el TRLGSS fallece el 1 de febrero de 2026 y el superviviente desea cobrar pensión de viudedad. ¿Tendrá derecho a cobrar la pensión de viudedad?

No tendrá derecho, puesto que incumple el requisito de convivencia mínima de 5 años, y no tienen hijos en común.

C) Pensión de orfandad

• Beneficiarios

Analizamos a continuación, de modo esquemático, las peculiaridades de los beneficiarios de las pensiones de orfandad:

❑ Tendrán derecho a esta pensión cada uno de los **hijos** del causante, cualquiera que sea la naturaleza legal de su filiación, siempre que al fallecer el causante sean menores de 21 años o tengan reducida su capacidad de trabajo en un porcentaje valorado en un grado de incapacidad permanente absoluta o gran incapacidad. En los casos en que el hijo causante no efectúe un trabajo lucrativo por cuenta ajena o propia, o cuando realizándolo, los ingresos que obtenga en cómputo anual resulten inferiores a la cuantía vigente para el salario mínimo interprofesional, que se fije en cada momento, también en cómputo anual, podrá ser beneficiario de la pensión de orfandad, siempre que en la fecha de fallecimiento del causante, aquél fuera menor de 25 años.

- ☐ Si el huérfano estuviera **cursando estudios** y cumpliera 25 años durante el transcurso del curso escolar, la percepción de la pensión de orfandad se mantendrá hasta el día primero del mes inmediatamente posterior al del inicio del siguiente curso académico.

- ☐ Reconocido el derecho a la pensión de orfandad, o prolongado su disfrute, este quedará suspendido cuando los beneficiarios mayores de 21 años, concierten un contrato laboral en cualquiera de sus modalidades o efectúen un trabajo por cuenta propia, siempre que los ingresos derivados del contrato o de la actividad de que se trate superen el límite señalado en el primer párrafo, o cuando los ingresos del trabajo que se viniese efectuando superen el límite indicado. La suspensión tendrá efectos desde el día siguiente a aquél en que concurra la causa de la suspensión. El derecho a la pensión se recuperará cuando se extinga el contrato de trabajo, cese la actividad por cuenta propia o, en su caso, finalice la prestación por desempleo, incapacidad temporal, riesgo durante el embarazo o la lactancia natural, o nacimiento y cuidado del menor o en aquellos supuestos en que continúe la realización de una actividad o se perciba una prestación, cuando los ingresos derivados de una u otra no superen los límites anteriormente señalados. La recuperación tendrá efectos desde el día siguiente a la fecha de extinción del contrato de trabajo, el cese en la actividad o a la finalización de la percepción de la correspondiente prestación, o de aquél en que se modifique la cuantía de los ingresos percibidos por uno u otras, siempre que se solicite dentro de los tres meses siguientes a la extinción del contrato de trabajo, al cese en la actividad o a la finalización de la percepción de la prestación por desempleo. En caso contrario, la pensión recuperada tendrá una retroactividad máxima de tres meses, a contar desde la fecha de la solicitud.

- ☐ De igual forma tendrán derecho a la pensión de orfandad los hijos, cualquiera que sea la naturaleza legal de su filiación, que el cónyuge supérstite hubiese **llevado al matrimonio** cuando, junto con los requisitos generales, concurran las siguientes condiciones especiales:

  - ◆ Que el matrimonio se hubiese celebrado con dos años de antelación a la fecha del fallecimiento del causante.

  - ◆ Que se pruebe que convivían con el causante y a sus expensas.

  - ◆ Que no tengan derecho a otra pensión de la Seguridad Social, ni queden familiares con obligación y posibilidad de prestarles alimentos, según la legislación civil.

LA EDAD EN LA PENSIÓN DE ORFANDAD	
Supuesto	**Edad máxima**
Regla general	21 años
Reducción en capacidad en grado de I.P. Absoluta o gran incapacidad	No hay límite de edad
Si no trabaja o lo hace con ingresos inferiores al SMI y sobrevive un progenitor	25 años
Si no trabaja o lo hace con ingresos inferiores al SMI y es huérfano absoluto	25 años
Huérfano cursando estudios	Hasta el día primero del mes inmediatamente posterior al del inicio del siguiente curso académico

Téngase en cuenta, como hemos señalado, que a partir del día 1 de enero de 2014 se aplica la edad máxima de 25 años a todos los supuestos de orfandad sin ingresos o con ingresos inferiores al SMI, con independencia de si se trata o no de orfandades absolutas.

- Abono

El abono de la pensión de la pensión de orfandad se producirá:

❑ En el caso de beneficiarios menores de 18 años, a quienes los tengan a su cargo, en tanto cumplan la obligación de mantenerlos y educarlos. Cuando la entidad pública a la que, en el respectivo territorio, esté encomendada la protección de los menores, constate que el huérfano se encuentra en situación de desamparo por incumplimiento o inadecuado ejercicio de los deberes de protección establecidos por las leyes, la entidad gestora adoptará las medidas oportunas para que la pensión se abone a quien quede atribuida la guarda del menor, en los términos previstos en el Código Civil.

❑ En el caso de beneficiarios mayores de 18 años, directamente al beneficiario, salvo que se trate de mayores incapacitados judicialmente, en cuyo caso se abonaría la pensión conforme a lo indicado en el párrafo anterior.

- Cuantía

Por lo que se refiere a la cuantía de la pensión de orfandad, es el 20% de la Base Reguladora calculada del mismo modo que hemos explicado para la pensión de viudedad. Ahora bien, si no existe cónyuge supérstite o este fallece disfrutando la pensión de viudedad, la pensión de orfandad se incrementa con el porcentaje correspondiente a la de viudedad (20% + 52%). Si existen varios huérfanos, el incremento del 52% se reparte entre ellos por partes iguales.

Por otra parte, **existe un límite genérico**: en ningún caso la suma de las pensiones de orfandad, cuando se haya reconocido pensión de viudedad –en cualquiera de los porcentajes previstos legalmente–, puede superar el 48% de la Base Reguladora del causante.

Una trabajadora fallece y reúne todos los requisitos para causar prestaciones derivadas de muerte y supervivencia. En el momento de su muerte, estaba casada y tenía 4 hijos, de 2, 7, 17 y 25 años, este último con una gran incapacidad, y se plantea el porcentaje de la base reguladora de la causante que percibirán cada uno de ellos en sus correspondientes pensiones.

Viudo	*52% (o 70%, si cumple los requisitos exigidos).*
Hijo 1	*12%*
Hijo 2	*12%*
Hijo 3	*12%*
Hijo 4	*12%*
Total	*100% de la base reguladora de la causante.*

- Compatibilidad

Por lo que se refiere a la compatibilidad, en el supuesto de que concurran en un mismo beneficiario pensiones de orfandad causadas por el padre y la madre, dichas pensiones serán compatibles entre sí. La pensión de orfandad será compatible con cualquier renta de trabajo de quien sea o haya sido cónyuge del causante, o del propio huérfano, así como, en su caso, con la pensión de viudedad que aquél perciba.

Los huérfanos incapacitados para el trabajo con derecho a pensión de orfandad, cuando perciban otra pensión de la Seguridad Social en razón a la misma incapacidad, podrán optar entre una y otra. Cuando el huérfano haya sido declarado incapacitado para el trabajo con anterioridad al cumplimiento de la edad de 18 años, la pensión de orfandad que viniera percibiendo será compatible con la de incapacidad permanente que pudiera causar, después de los 18 años, como consecuencia de unas lesiones distintas a las que dieron lugar a la pensión de orfandad, o en su caso, con la pensión de jubilación que pudiera causar en virtud del trabajo que realice por cuenta propia o ajena.

La pensión de orfandad que perciba el huérfano incapacitado que hubiera contraído matrimonio será incompatible con la pensión de viudedad a la que posteriormente pudiera tener derecho, y deberá optar entre una u otra.

- **Extinción**

  Las causas de extinción de la pensión de orfandad son las siguientes:

  ❏ Cumplir la edad mínima fijada en cada caso, de las previstas en el artículo 224 del TRLGSS, salvo que, en tal momento, tuviese reducida su capacidad de trabajo en un porcentaje valorado en un grado de incapacidad permanente absoluta o gran incapacidad.

  ❏ Cesar en la incapacidad que le otorgaba el derecho a la pensión.

  ❏ Adopción.

  ❏ Contraer matrimonio.

  ❏ Fallecimiento.

D) Pensión en favor de familiares

- **Beneficiarios**

  Son beneficiarios aquellos titulares que ostenten alguna de las siguientes relaciones de parentesco con el causante:

  ❏ Nietos y hermanos huérfanos de padre y madre menores de 18 años en el momento del fallecimiento o mayores con disminución en grado de IP absoluta o gran incapacidad. También los menores de 22 años sin trabajo o con trabajo con rentas inferiores al 75% del SMI.

  ❏ Madres y abuelas viudas, divorciadas o separadas, solteras o casadas, siempre que en este último caso su marido tenga una disminución en grado de IP absoluta o bien 60 años de edad o más.

  ❏ Padres o abuelos con 60 años de edad o bien con IP absoluta para el trabajo.

  ❏ Hijos y hermanos de pensionistas de jubilación o IP contributiva mayores de 45 años, solteros, separados, divorciados o viudos, que acrediten dedicación prolongada al cuidado del causante.

  Los **requisitos comunes** a estos beneficiarios son los siguientes:

  ❏ Debe acreditarse la convivencia con el causante y que se vivía a expensas de este.

  ❏ Carecer de medios de subsistencia (por debajo del SMI anual).

  ❏ No tener derecho a pensiones públicas.

  ❏ No tener derecho a alimentos, siempre que el obligado a prestarlos tenga capacidad económica para ello.

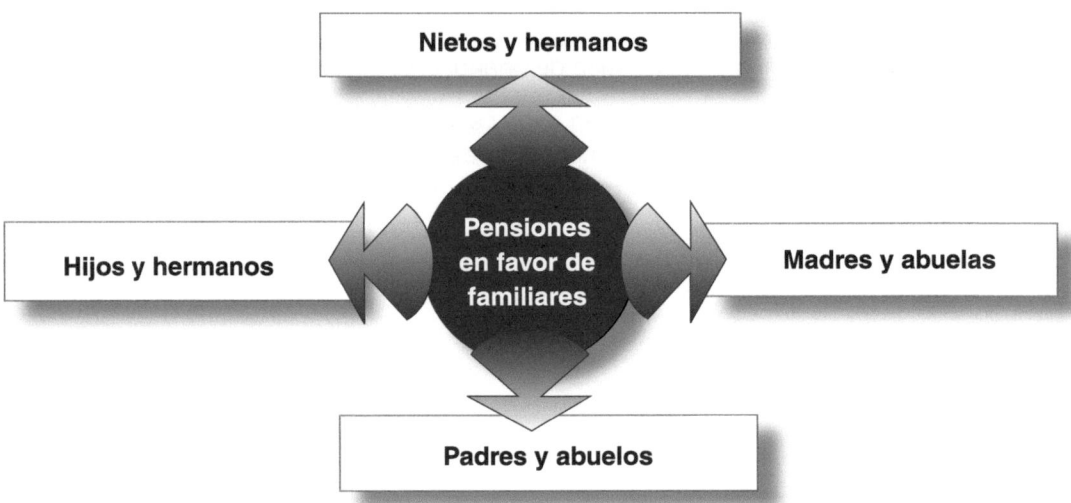

- Cuantía

La cuantía es el 20% de la base reguladora, que se puede incrementar con el 52% de la pensión de viudedad si al fallecimiento del causante no queda cónyuge sobreviviente ni hijos con derecho a pensión de orfandad; si hubiera otros huérfanos, como hemos visto, ese 52% se repartirá entre todos a partes iguales. Hay que tener en cuenta que también opera el límite genérico sobre la Base Reguladora del causante que hemos visto en las pensiones de orfandad.

- Extinción

Esta pensión se extingue:

a)	En favor de ascendientes, por contraer matrimonio y por fallecimiento.

b)	En favor de nietos y hermanos, por las mismas causas que en la orfandad.

Un trabajador fallece en accidente de trabajo y su viuda y sus 3 huérfanos de 3, 7 y 12 años desean saber qué pensiones tienen derecho a percibir, teniendo en cuenta que la base reguladora del causante era de 2.000 euros.

En principio, la viuda tendría derecho al 52% de la base reguladora del causante –siempre que no cumpla los requisitos para acceder al porcentaje del 60% o al excepcional del 70%– y los hijos al 20% cada uno. No obstante, de este modo se superaría el 100% de la base reguladora del causante, por lo que procederá la siguiente distribución:

❏ *Viuda: 52% = 1.040 euros mensuales.*

❏ *Cada uno de los huérfanos: la tercera parte del 48% restante, es decir, 320 euros cada uno.*

De este modo la suma (1.040 + 320 + 320 + 320) resulta el importe de la base reguladora.

E) Subsidio temporal en favor de determinados familiares

• Beneficiarios

Son beneficiarios los hijos o hermanos mayores de 22 años (24 si son huérfanos absolutos), solteros, separados, divorciados o viudos que convivan a expensas del causante al menos 2 años antes de fallecimiento, sin ingresos superiores al SMI anual ni derecho a pensión pública ni a alimentos y siempre que no tengan derecho a pensión a favor de familiares.

• Cuantía

La cuantía es del 20% de la base reguladora tomada para calcular la viudedad, durante doce meses y dos pagas extraordinarias.

• Extinción

Se extinguirá por agotamiento del período de duración máximo fijado y por el fallecimiento del titular-beneficiario.

En este caso, no está sujeto al límite del 100% de la base reguladora del causante.

4.10.4. Cuantías mínimas

Veamos a continuación el cuadro de cuantías mínimas de todas estas prestaciones de muerte y supervivencia para el año 2026:

CLASE DE PENSIÓN	TITULARES		
	Con cónyuge a cargo – Euros/año	Sin cónyuge: unidad económica unipersonal – Euros/año	Con cónyuge no a cargo – Euros/año
Viudedad			
Titular con cargas familiares.	—	17.592,40	—
Titular con sesenta y cinco años o con discapacidad en grado igual o superior al 65 por 100.	—	13.106,80	
Titular con edad entre sesenta y sesenta y cuatro años.	—	12.262,60	—
Titular con menos de sesenta años.	—	9.931,60	—

CLASE DE PENSIÓN	Euros/año
Orfandad	
Por beneficiario.	4.011,00
Por beneficiario menor de 18 años con una discapacidad en grado igual o superior al 65 por 100.	7.882,00
En la orfandad absoluta el mínimo se incrementará en 8.306,20 euros/año distribuidos, en su caso, entre los beneficiarios.	
Prestación de orfandad	
Un beneficiario.	11.603,20
Varios beneficiarios: a repartir entre número de beneficiarios.	19.559,68
En favor de familiares	
Por beneficiario.	4.011,00
Si no existe viudo ni huérfano pensionistas:	
Un solo beneficiario con sesenta y cinco años.	9.683,80
Un solo beneficiario menor de sesenta y cinco años.	9.126,60
Varios beneficiarios: El mínimo asignado a cada uno de ellos se incrementará en el importe que resulte de prorratear 5.530 euros/año entre el número de beneficiarios.	

4.11. Indemnización especial a tanto alzado, en los supuestos de accidente de trabajo y enfermedad profesional

Consiste en una prestación a tanto alzado, es decir, que se paga de una sola vez al beneficiario, y que se reconoce a determinados familiares del causante.

Beneficiarios

- El cónyuge supérstite, cuando reúna las condiciones exigidas para obtener la pensión de viudedad.
- Los huérfanos, que reúnan las condiciones necesarias para ser beneficiarios de la pensión de orfandad.
- El padre o la madre, cuando no existan otros familiares del causante con derecho a pensión de muerte y supervivencia y siempre que vivieran a expensas del fallecido y no tuvieran derecho a prestación en favor de familiares como ascendientes del causante.

Cuantía

- Indemnización en favor del cónyuge: seis mensualidades de la Base Reguladora de la prestación de viudedad.
- Indemnización en favor de los huérfanos: una mensualidad de la Base Reguladora de la prestación de orfandad, para cada uno de los huérfanos existentes.
- Si no existe cónyuge supérstite, la indemnización del huérfano se incrementará con el importe de las seis mensualidades que hubieran correspondido al cónyuge. En el supuesto de que fueran varios los huérfanos, este importe se distribuirá entre todos ellos a partes iguales.
- Indemnización en favor de los padres: únicamente se reconocerá si no hubiera cónyuge o huérfanos con derecho a indemnización, y su importe es de doce mensualidades de la Base Reguladora de la prestación de viudedad si existieran los dos. Si únicamente es beneficiario el padre o la madre, le importe será equivalente a nueve mensualidades de la misma Base Reguladora de la pensión de viudedad.

4.12. Prestaciones familiares

Las prestaciones familiares se encuentran reguladas en los artículos 351 a 362 del TRLGSS, que incorpora las novedades introducidas por la Ley Orgánica 3/2007, de 22 de marzo, para la Igualdad efectiva de mujeres y hombres.

En este tipo de protección volvemos a encontrar dos niveles, de modo que distinguiremos entre las siguientes prestaciones:

❑ **No contributivas:**

♦ Asignación económica por hijo o menor acogido a cargo.

♦ Prestación por parto o adopción múltiples.

♦ Prestación económica por nacimiento o adopción de hijo.

♦ Prestación económica por nacimiento o adopción de hijo, en supuestos de familias numerosas, monoparentales y en los casos de madres con discapacidad.

❑ **Contributivas:**

♦ Prestación no económica consistente en la consideración de periodo cotizado el correspondiente a determinadas excedencias por cuidado de familiares.

4.12.1. Modalidad no contributiva

A) Asignación económica por hijo o menor acogido a cargo

• Beneficiarios

Por lo que se refiere a los beneficiarios, pueden serlo, indistintamente, el padre o la madre cuando ambos convivan con el hijo a cargo y reúnan los requisitos para acceder a la prestación. En el supuesto de nulidad, separación judicial o divorcio, la condición de beneficiario será reconocida al padre o a la madre por los hijos que cada uno de ellos tenga a cargo en la nueva situación familiar, según la correspondiente sentencia judicial.

Asimismo podrán ser beneficiarios de la asignación que, en su caso y en razón de ellos, hubiera correspondido a sus padres aquellos huérfanos de padre y madre, menores de 18 años o con discapacidad en un grado igual o superior al 65%. Igual criterio se seguirá en el supuesto de quienes no sean huérfanos y hayan sido abandonados por sus padres, siempre que no se encuentren en régimen de acogimiento familiar, permanente o preadoptivo.

Podemos señalar los siguientes **requisitos** de los beneficiarios:

❑ Residir legalmente en territorio español.

❑ Tener a cargo hijos menores de 18 años o mayores de dicha edad afectados por una discapacidad en un grado igual o superior al 65%, cualquiera que sea la naturaleza legal de la filiación de aquellos, así como los menores acogidos, en acogimiento familiar, permanente o preadoptivo.

❑ En el caso de hijos a cargo menores de 18 años no incapacitados, no percibir ingresos anuales superiores al límite establecido anualmente en los Presupuestos Generales del Estado. Los citados límites de ingresos anuales (recordemos, no aplicables en los supuestos de discapacidad) para acceder a esta prestación son, en 2026, los siguientes:

♦ No percibir ingresos anuales, de cualquier naturaleza, superiores a 15.356,00 euros. La cuantía anterior se incrementará en un 15% por cada hijo o menor acogido a cargo, a partir del segundo, este incluido.

♦ No obstante, si se trata de personas que forman parte de familias numerosas de acuerdo con lo establecido en la Ley de Protección a las Familias Numerosas, el límite 23.109,00 euros anuales, incrementándose en 3.745,00 euros por cada hijo a cargo a partir del cuarto, este incluido.

❑ No tener derecho, ni el padre ni la madre, a prestaciones de esta misma naturaleza en cualquier otro régimen público de protección social.

Por lo que se refiere al **causante**, no perderá la condición de hijo o menor acogido a cargo por el mero hecho de realizar un trabajo lucrativo, por cuenta propia o ajena, siempre que continúe conviviendo con el beneficiario de la prestación y que los ingresos anuales del causante en concepto de rendimientos del trabajo no superen el 100% del salario mínimo interprofesional en cómputo anual. Tampoco perderá tal condición si es perceptor de la pensión de orfandad o de la pensión en favor de familiares de nietos y hermanos.

- Cuantía

La cuantía será, en cómputo anual, 588,00 euros siempre que no se supere el límite de ingresos establecido (si se trata de familias numerosas, en 23.109,00 euros anuales, incrementándose en 3.745,00 euros anuales por cada hijo o hija a cargo a partir del cuarto, este incluido). No obstante, la cuantía se incrementará hasta 637,92 euros anuales en los casos en que los ingresos del hogar sean inferiores según la siguiente escala:

INTEGRANTES DEL HOGAR		INTERVALO DE INGRESOS	ASIGNACIÓN ÍNTEGRA ANUAL EUROS
Personas > = 14 años (M)	Personas < 14 años (N)		
1	1	5.839 o menos.	637,92 x H
1	2	7.185 o menos.	637,92 x H
1	3	8.532 o menos.	637,92 x H
2	1	8.083 o menos.	637,92 x H
2	2	9.429 o menos.	637,92 x H
2	3	10.776 o menos.	637,92 x H
3	1	10.328 o menos.	637,92 x H
3	2	11.674 o menos.	637,92 x H
3	3	13.020 o menos.	637,92 x H
M	N	4.492 + [(4.492 x 0,5 x (M-1)) + (4.492 x 0,3 x N)] o menos.	637,92 x H

H = Hijos o hijas a cargo de la persona beneficiaria menores de 18.

N = Número de menores de 14 años en el hogar.

M = Número de personas de 14 o más años en el hogar.

La financiación de esta medida se realizará mediante la correspondiente transferencia del Estado a la Seguridad Social.

En el caso de que se trate de hijos o menores acogidos a cargo con discapacidad, no hay límite de ingresos, siendo las cuantías de las prestaciones las siguientes:

❑   1.000 euros anuales por hijo (250,00 euros trimestrales), cuando el hijo o menor acogido a cargo sea menor de 18 años y el grado de discapacidad sea igual o superior al 33%.

❑   5.962,80 euros anuales por hijo (496,90 euros mensuales), cuando el hijo a cargo sea mayor de 18 años y esté afectado por una discapacidad en un grado igual o superior al 65%.

❑   8.942,40 euros anuales por hijo (745,20 euros mensuales), cuando el hijo a cargo, sea mayor de 18 años, esté afectado por una discapacidad en un grado igual o superior al 75% y, como consecuencia de pérdidas anatómicas o funcionales, necesite el concurso de otra persona para realizar los actos más esenciales de la vida, tales como vestirse, desplazarse, comer o análogos.

Hay que tener en cuenta que, a tenor de lo dispuesto en la Disposición Transitoria 7ª del RDL 20/2020, **a partir de 1 de junio de 2020 no podrán presentarse nuevas solicitudes** para la asignación económica por hijo o menor a cargo sin discapacidad o con discapacidad inferior al 33% del sistema de la Seguridad Social, que quedará a extinguir. No obstante, los beneficiarios de la prestación económica transitoria de ingreso mínimo vital que a 31 de diciembre de 2020 no cumplieran los requisitos para ser beneficiarios del ingreso mínimo vital pudieron ejercer el derecho de opción para volver a la asignación económica por hijo o menor a cargo del sistema de la Seguridad Social.

A la fecha de entrada en vigor de este real decreto-ley, los beneficiarios de la asignación económica por cada hijo o menor a cargo sin discapacidad o con discapacidad inferior al 33% continuaran percibiendo dicha prestación hasta que deje de concurrir los requisitos y proceda su extinción.

B) Prestación por parto o adopción múltiples

• Beneficiarios

Serán beneficiarios el padre o madre o, en su defecto, la persona que reglamentariamente se establezca, en el supuesto de que el número de nacidos o adoptados sea igual o superior a dos.

• Requisitos

Los requisitos son los siguientes:

❑ Residir legalmente en territorio español.

❑ No tener derecho, ni el padre ni la madre, a prestaciones de esta misma naturaleza en cualquier otro régimen público de protección social.

• Cuantía

La prestación económica consistirá en un pago único en función del número de hijos nacidos en el parto:

Nº DE HIJOS NACIDOS	Nº DE VECES DEL IMPORTE MENSUAL DEL SMI	IMPORTES EN EL AÑO 2026
2	4	4.884,00 euros
3	8	9.768,00 euros
4 y más	12	14.652,00 euros

C) Prestación económica por nacimiento o adopción de hijo, en supuestos de familias numerosas, monoparentales y los casos de madres con discapacidad

Serán causantes los hijos nacidos o adoptados, a partir del 16 de noviembre de 2007, en una familia numerosa o que, con tal motivo, adquiera dicha condición, en una familia monoparental o en los supuestos de madres que padezcan una discapacidad igual o superior al 65%, siempre que el nacimiento se haya producido en territorio español o que la adopción se haya constituido o reconocido por autoridad española competente. A estos efectos:

❑ La personalidad se adquiere en el momento del nacimiento con vida, una vez producido el entero desprendimiento del seno materno (art. 30 del Código Civil).

❑ Para la consideración de familia numerosa, se estará a lo establecido en la Ley 40/2003, de 18 de noviembre, de protección a las familias numerosas.

❑ Se entiende por familia monoparental, la constituida por un solo progenitor con el que convive el hijo nacido o adoptado y que es el único sustentador de la familia.

• Beneficiarios

Los requisitos de los beneficiarios, que serán los progenitores o adoptantes, por el nacimiento o adopción de hijo, son los siguientes:

❑ Residencia legalmente en territorio español.

❑ No tener ingresos anuales, de cualquier naturaleza, superiores a los límites establecidos. En los supuestos de convivencia, si la suma de los ingresos de los progenitores o adoptantes superase los límites establecidos, no se reconocerá la condición de beneficiario a ninguno de ellos.

❑ No tener derecho a prestaciones de esta misma naturaleza en cualquier otro régimen público de protección social.

Por lo que se refiere al supuesto de familias numerosas, será beneficiario:

❑ Si existe convivencia, cualquiera de los progenitores o adoptantes de común acuerdo. A falta de acuerdo, será beneficiaria la madre, en su caso.

❑ Si no existe convivencia de los progenitores o adoptantes, será beneficiario el que tenga a su cargo la guarda y custodia del hijo.

❑ En el supuesto de familias monoparentales: será beneficiario el progenitor con el que convive el hijo nacido o adoptado y es único sustentador de la familia.

❑ En los casos de madres con discapacidad: será beneficiaria la madre que acredite una discapacidad igual o superior al 65%.

❑ Cuando el hijo hubiera quedado huérfano de ambos progenitores o adoptantes o esté abandonado, será beneficiaria la persona física que legalmente se haga cargo de aquel.

• Cuantía

La de la prestación, que se abona en un pago único, asciende a 1.000,00 euros, siempre que los ingresos del beneficiario no rebasen los límites establecidos.

- Incompatibilidades

    Finalmente, haremos referencia al régimen de incompatibilidades:

    ❑ En el supuesto de que en el padre y en la madre concurran las condiciones para ser beneficiarios, el derecho a la asignación solo podrá ser reconocido a uno de ellos.

    ❑ Las prestaciones familiares serán incompatibles con la percepción de cualquier otra prestación análoga establecida en los restantes Regímenes Públicos de protección social. En los supuestos en que uno de los padres esté incluido por razón de la actividad desempeñada o por su condición de pensionista en un régimen público de Seguridad Social, la prestación correspondiente será reconocida en dicho régimen.

    ❑ La percepción de las asignaciones económicas por hijo o acogido con discapacidad, será incompatible con la condición, por parte del hijo, de pensionista de incapacidad o jubilación en la modalidad no contributivas, así como de pensionista de orfandad con 18 o más años e incapacitado para todo trabajo.

    ❑ La percepción de la prestación por nacimiento o adopción de hijo será compatible con la percepción de las demás prestaciones familiares de la Seguridad Social.

4.12.2. Modalidad contributiva

A continuación, y para finalizar el estudio de las prestaciones familiares, veremos la modalidad contributiva, regulada en el artículo 237 del TRGLSS, que tiene carácter no económico.

A) Beneficiarios

Serán beneficiarios los siguientes:

a) Trabajadores españoles y extranjeros que, estando incluidos en el Régimen General de la Seguridad Social, permanezcan en una situación de excedencia de duración no superior a 3 años para atender al cuidado de un hijo, tanto cuando lo sea por naturaleza como por adopción, o en los supuestos de acogimiento, a contar desde la fecha de nacimiento o, en su caso, de la fecha de resolución judicial o administrativa.

b) Aquellos trabajadores que permanezcan en situación de excedencia -en este caso con una duración no superior a dos años, salvo que se establezca una duración mayor por negociación colectiva- para atender al cuidado de un familiar hasta el segundo grado de consanguinidad o afinidad, que por razones de edad, accidente, enfermedad o discapacidad no pueda valerse por sí mismo, y no desempeñe actividad retribuida.

B) Contenido de la prestación

❑ Los períodos de hasta tres años de excedencia que los trabajadores, de acuerdo con el art. 46.3 del TRLET, disfruten en razón del cuidado de cada hijo o menor en régimen de acogimiento permanente o de guarda con fines de adopción, tendrán la consideración de periodo de cotización efectiva a efectos de las correspondientes prestaciones de la Seguridad Social por jubilación, incapacidad permanente, muerte y supervivencia y nacimiento y cuidado de menor.

❑ Se considerará efectivamente cotizado, el primer año del periodo de excedencia que los trabajadores disfruten en razón del cuidado de otros familiares, hasta el segundo grado consanguinidad o afinidad que, por razones de edad, accidente, enfermedad o discapacidad, no puedan valerse por sí mismos, y no desempeñen una actividad retribuida.

❑ Los beneficiarios son considerados en situación de alta a todos los efectos, salvo en lo que se refiere a las prestaciones por IT.

❑ Mantienen el derecho a la asistencia sanitaria en esos periodos.

❑ Dicho período será computado para acreditar los períodos mínimos de cotización que dan derecho a las distintas prestaciones.

❑ También será computado para la determinación de la base reguladora de la prestación que se cause.

❑ Cuando las situaciones de excedencia señaladas anteriormente hubieran estado precedidas por una reducción de jornada en los términos previstos en el art. 37.6 del TRLET, a efectos de la consideración como cotizados de los períodos de excedencia que correspondan, las cotizaciones realizadas durante la reducción de jornada se computarán incrementadas hasta el 100% de la cuantía que hubiera correspondido si se hubiera mantenido sin dicha reducción la jornada de trabajo.

❑ Las cotizaciones realizadas durante los dos primeros años del período de reducción de jornada por cuidado de menor previsto en el primer párrafo del art. 37.6 del TRLET, se computarán incrementadas hasta el 100% de la cuantía que hubiera correspondido si se hubiera mantenido sin dicha reducción la jornada de trabajo, a efectos de las prestaciones de jubilación, incapacidad permanente, muerte y supervivencia y nacimiento y cuidado de menor. Dicho incremento vendrá exclusivamente referido al primer año en los supuestos de reducción de jornada contemplados en el segundo párrafo del mencionado artículo.

❑ Las cotizaciones realizadas durante los periodos en que se reduce la jornada según lo previsto en el tercer párrafo del artículo 37.6 del TRLET, se computarán incrementadas hasta el 100% de la cuantía que hubiera correspondido si se hubiera

mantenido sin dicha reducción la jornada de trabajo, a efectos de las prestaciones por jubilación, incapacidad permanente, muerte y supervivencia, nacimiento y cuidado de menor, riesgo durante el embarazo, riesgo durante la lactancia natural e incapacidad temporal.

Una trabajadora es madre de un hijo con una discapacidad del 85% y que necesita su ayuda diaria para realizar los actos vitales más elementales como vestirse, desplazarse, comer y otros. Le han dicho que no tiene derecho a ninguna prestación, puesto que su hijo tiene 22 años y además los ingresos de la unidad familiar superan el límite que establece la norma.

En estos casos, por tratarse de un hijo con una discapacidad en grado igual o superior al 75% y que, como consecuencia de pérdidas anatómicas o funcionales, necesita el concurso de otra persona para realizar los actos vitales más elementales como vestirse, desplazarse, comer o análogos, percibirá en 2026 una prestación de 8.942,40 euros anuales por hijo (745,20 euros mensuales), ya que no se establece en estos casos límite de recursos económicos alguno, al tratarse de una persona con discapacidad.

4.13. Prestaciones por actos terroristas

El artículo 61 del TRLGSS y el Real Decreto 1576/1990, de 7 de diciembre, regulan la concesión en el Sistema de la Seguridad Social de pensiones extraordinarias motivadas por actos de terrorismo.

4.13.1. Beneficiarios

Serán beneficiarios de esta modalidad de protección aquellas personas incluidas en alguno de los regímenes del sistema de la Seguridad Social, que resulten incapacitadas y los familiares de quienes sean pensionistas o, estando incluidos en alguno de dichos regímenes, fallezcan como consecuencia o con ocasión de actividades delictivas cometidas por bandas armadas o elementos terroristas de las que no sean responsables.

4.13.2. Prestaciones

Los beneficiarios tendrán derecho a percibir de la Seguridad Social pensiones extraordinarias por actos de terrorismo, así como asistencia sanitaria y servicios sociales. Veamos estos ámbitos de protección:

A) Pensiones por incapacidad permanente

Son incompatibles con las pensiones ordinarias por IP y presentan las siguientes características:

❑ **Beneficiarios:** deben ser personas afiliadas al sistema de la Seguridad Social, se encuentren o no en situación de alta en alguno de sus Regímenes, siempre que sean víctimas de un acto de terrorismo del cual no sean responsables.

❑ **Cuantía:** la cuantía será el 200% de la cuantía resultante de aplicar el porcentaje que corresponda a la base reguladora. Dicha cuantía se determina de acuerdo con las normas que regulan el método de cálculo de las pensiones por incapacidad permanente derivadas de accidente de trabajo, aunque presentan algunas peculiaridades. Además, tienen establecido un importe mínimo mensual equivalente al triple del IPREM vigente en cada momento. Finalmente, no tributan por IRPF.

❑ **Porcentajes:** el porcentaje que se aplicará para el cobro de la pensión variará según el tipo de incapacidad:

 ♦ Si se trata de incapacidad permanente total, el 55%.

 ♦ Si se trata de incapacidad permanente total cualificada, el 75% (a partir de los 55 años y no realización de trabajo).

 ♦ Si se trata de incapacidad permanente absoluta, el 100%.

 ♦ Si se trata de gran incapacidad, la pensión reconocida en los apartados anteriores se incrementará con un complemento destinado al beneficiario para que pueda remunerar a la persona que le atienda.

B) Pensiones de viudedad, orfandad y en favor de familiares

También son incompatibles con las ordinarias, y presentan las siguientes características:

❑ **Beneficiarios:** se generan por afiliados al sistema de la Seguridad Social, se encuentren o no en situación de alta o asimilada a la de alta en alguno de sus Regímenes, que fallezcan como consecuencia de un acto de terrorismo del cual no sean responsables. También los pensionistas de jubilación e incapacidad permanente en su modalidad contributiva y los pensionistas con derecho a pensión por incapacidad permanente total que optaron por la indemnización especial a tanto alzado a favor de los menores de 60 años, que fallezcan a consecuencia de dichos actos.

❑ **Cuantía:** la cuantía se calculará también sobre el 200% de la base reguladora, tal como indicábamos en el supuesto anterior, y también tienen como importe mínimo mensual el triple del IPREM vigente en cada momento.

□ **Porcentajes:** los porcentajes a aplicar serán los siguientes:

♦ Si se trata de viudedad, el 52% o, en su caso, hasta un 70% cuando se acrediten determinados requisitos, que tuvimos ocasión de ver en el apartado correspondiente de esta misma unidad.

♦ Si se trata de orfandad, el 20% o, si hay varios huérfanos, el porcentaje que, en su caso, corresponda hasta llegar al límite del 100% de la base reguladora, incluyendo el porcentaje de viudedad.

♦ Si se trata de pensión en favor de familiares, el 20% o el porcentaje que corresponda, y ello siempre que las pensiones de viudedad y orfandad no hayan alcanzado el 100% de la base reguladora.

♦ Cuando existan varios beneficiarios, la suma de las cuantías de las prestaciones por muerte y supervivencia no puede exceder del 100% de la base reguladora que corresponda. Esta limitación se aplicará a la cuantía inicial, pero no afectará a las revalorizaciones periódicas que procedan en lo sucesivo.

♦ No obstante, el límite del 100% podrá ser rebasado en caso de concurrencia de varias pensiones de orfandad con viudedad, cuando a esta le corresponda el porcentaje del 70%, sin que la suma de las pensiones de orfandad pueda superar en ningún caso el 48% de la base reguladora.

♦ A efectos de esta limitación, una vez asignada la pensión de viudedad, se reconocerán las pensiones de orfandad con la cuantía que les corresponda y, finalmente, en caso de no haber alcanzado el 100% de la base reguladora, se reconocerán las "pensiones" en favor de familiares siguiendo, entre estos últimos, el orden establecido legalmente.

C) Otras prestaciones

Los beneficiarios de esta protección específica por actos de terrorismo tendrán derecho, además a:

□ Asistencia sanitaria.

□ Servicios sociales.

Hay que tener en cuenta, además, que el Real Decreto 851/1992, de 10 de julio, por el que se regulan determinadas Pensiones Extraordinarias causadas por Actos de Terrorismo, establece un ámbito de protección específico en el régimen de Clases Pasivas del Estado y regula además las pensiones extraordinarias por actos de terrorismo en favor de quienes no tengan derecho a ellas en cualquier régimen público de seguridad social.

Tras un atentado terrorista que afecta a un trabajador de una empresa textil que entraba a su trabajo, este pierde parte del brazo derecho y sufre pérdidas funcionales diversas, de manera que le declaran una incapacidad permanente en grado de absoluta. Se pregunta si por tener origen en un acto terrorista tiene alguna incidencia en la cuantía.

En efecto, por tratarse de una pensión de incapacidad permanente derivada de un acto terrorista, la cuantía sobre la que se aplicará el porcentaje será el 200% de aplicar el porcentaje del 100% a la base reguladora que corresponda. Además, le garantizarán un importe mínimo del triple del IPREM vigente en cada momento.

4.14. Seguro Escolar

Uno de los regímenes especiales de la Seguridad Social que todavía pervive en nuestros días es el denominado Régimen Especial de Estudiantes, que se plasma en el Seguro Escolar.

4.14.1. Beneficiarios

Los beneficiarios de esta protección son los estudiantes españoles menores de 28 años, los estudiantes nacionales de los Estados miembros de la Unión Europea y del Espacio Económico Europeo, y, en general, todos los estudiantes extranjeros residentes en las mismas condiciones que los españoles, siempre que cursen en España y hasta la edad de 28 años, alguno de los siguientes estudios:

❑ Bachillerato, 3º y 4º de ESO.

❑ Formación Profesional, de segundo grado, grado medio, superior y especial.

❑ Curso de Orientación Universitaria y Bachillerato Unificado Polivalente (actualmente inaplicable).

❑ Programas de garantía social.

❑ De los centros integrados.

❑ Estudios Universitarios de grado medio, grado superior y de doctorado.

❑ De grado superior en conservatorios de música.

❑ De grado superior en conservatorios de danza.

❑ Arte dramático.

❏ Teología en los centros superiores de la Iglesia Católica.

❏ Segundo curso de educación secundaria de personas adultas.

❏ Estudiantes universitarios que realicen prácticas en empresas.

❏ Programas de formación para la transición a la edad adulta.

4.14.2. Prestaciones

Por lo que se refiere a las prestaciones del Seguro Escolar, son las siguientes:

❏ **En caso de accidente, teniendo en cuenta que las acciones para reclamar las prestaciones prescriben al año de haberse producido el accidente, el estudiante tendrá derecho a:**

♦ Asistencia médica y farmacéutica desde el momento del accidente hasta la fecha del alta médica y la declaración de incapacidad, o hasta que se encuentre en condiciones de volver a los estudios, dentro del plazo máximo de un año, si el accidente origina una incapacidad temporal.

♦ Prestación farmacéutica.

♦ Si el accidente produce una incapacidad permanente y absoluta para los estudios ya iniciados, se abona una indemnización que oscila entre 150,25 euros y 601,01 euros, fijada proporcionalmente al tiempo de estudios ya realizados y a la disminución de la capacidad ulterior para una actividad profesional. Si el accidente produce una gran incapacidad para los estudios, quedando incapacitado el estudiante para los actos más esenciales de la vida, se abona una pensión vitalicia de 144,24 euros anuales.

♦ Si el accidente produjese la muerte, se abonará a los familiares 30,05 euros en concepto de gastos de sepelio. Si el accidente se hubiese producido en lugar distinto al de la residencia familiar, estos gastos pueden oscilar entre 30,05 y 120,20 euros. Si el estudiante fallecido tuviese a cargo esposa, hijos, ascendientes directos mayores de 65 años o incapacitados para todo trabajo, o hermanos menores de edad o incapacitados para todo trabajo, se concederá, además, a estos un capital de 300,51 euros.

❏ **En caso de enfermedad, tendrá derecho a asistencia sanitaria, prestación farmacéutica e indemnizaciones por fallecimiento, con las siguientes peculiaridades:**

♦ La asistencia médica, que incluye la hospitalización cuando proceda, está constituida por los servicios de cirugía general, neuropsiquiatría, tuberculosis pulmonar y ósea y tocología, si bien en determinados casos, se pueden otor-

gar prestaciones de fisioterapia, cobaltoterapia, radiumterapia, riñón artificial y radioterapia, así como cirugía maxilofacial.

♦ La prestación farmacéutica, si el tratamiento es ambulatorio, no es gratuita. En este tipo de tratamiento, se abonará el 70% del importe de la misma, correspondiendo al beneficiario el abono del 30% restante. En los casos en que estas prestaciones hayan sido prescritas por un médico de la Seguridad Social, se abonará al estudiante solamente la diferencia entre el 40% abonado como beneficiario de la Seguridad Social y el 30% que le corresponde como protegido del Seguro Escolar.

❑ **Prestaciones por infortunio familiar, que se concederán en los siguientes casos:**

♦ Fallecimiento del cabeza de familia. A estos efectos, se considera cabeza de familia tanto el padre como la madre, siempre que aporten ingresos a la economía familiar. Para tener derecho a las prórrogas, los ingresos familiares no podrán superar la cantidad de 6.010,12 euros por cada miembro de la unidad familiar. A estos efectos, se tendrán en cuenta todos los miembros de la unidad familiar que convivan con el estudiante y sus respectivos ingresos

♦ Ruina o quiebra familiar. En ningún caso se entenderá como tal la insuficiencia permanente de recursos económicos para sufragar los estudios.

Un estudiante de tercer curso de Derecho, de 24 años de edad, sufre la pérdida de su padre en un accidente de trabajo. Él era el único hijo de la unidad familiar y se queda sin ingreso alguno. Se pregunta si tendrá derecho a alguna prestación por el hecho de ser estudiante.

Tendrá derecho a la denominada prestación por infortunio familiar. El importe será de 86,55 euros y la percibirá anualmente hasta que finalice la carrera o hasta que cumpla los 28 años.

4.14.3. Cuantías

Las cuantías de estas prestaciones de infortunio familiar son las siguientes:

❑ 86,55 euros para estudiantes pertenecientes a familias no numerosas.

❑ 103,85 euros para estudiantes pertenecientes a familias numerosas de categoría general.

❑ 129,82 euros para estudiantes pertenecientes a familias numerosas de categoría especial.

4.15. Prestaciones por desempleo (Agencia Española de Empleo)

Por lo que se refiere a la regulación de la **protección por desempleo**, está contenida en las siguientes normas:

- ❑ Título III del TRLGSS (artículos 262 y siguientes).

- ❑ Real Decreto 625/1985, de 2 de abril.

- ❑ Hay que señalar que en el Régimen Especial de Trabajadores Autónomos se regula también la denominada prestación por **Cese de Actividad**, prevista para los trabajadores por cuenta propia que se acojan a esta protección y regulada en los artículos 327 a 350 del TRLGSS.

4.15.1. Concepto

El desempleo es la situación en que se encuentran quienes, queriendo y pudiendo trabajar, pierden su empleo de forma temporal o definitiva o ven reducida su jornada ordinaria de trabajo. Hay que tener en cuenta la importante reforma llevada a cabo en esta materia por el Real Decreto Ley 2/2024, de 21 de mayo, muy especialmente en lo referente a la compatibilidad de las prestaciones por desempleo con el trabajo. También hay que señalar que el Real Decreto Ley 7/2024, de 11 de noviembre, contiene normativa específica en materia de protección por desempleo para aquellas personas afectadas por la DANA de 29 de octubre de 2024.

Identificamos **dos tipos de desempleo**:

- ❑ **Total:** el desempleo será total cuando el trabajador cese, con carácter temporal o definitivo, en la actividad que venía desarrollando y sea privado, consiguientemente, de su salario. A estos efectos, se entenderá por desempleo total el cese total del trabajador en la actividad por días completos, continuados o alternos, durante, al menos, una jornada ordinaria de trabajo, en virtud de suspensión temporal de contrato o reducción temporal de jornada, ordenados al amparo de lo establecido en el artículo 47 del TRLET.

- ❑ **Parcial**: este concepto de desempleo parcial ha sido introducido por la Ley 35/2010, de 9 de septiembre, de Medidas Urgentes para la Reforma del mercado de trabajo, que aprueba la reforma laboral de 2010 y por el Real Decreto Ley 3/2012, de 10 de febrero y la Ley 3/2012, de 6 de julio, de medidas urgentes para la reforma del mercado laboral, que contienen la reforma laboral de 2012. La primera de las normas citadas, además, estableció que en este caso de desempleo parcial, la consunción de prestaciones generadas se producirá por horas y no por días. A tal fin, el porcentaje consumido será equivalente al de reducción de jornada decidida por el empresario.

Por lo que se refiere a los **niveles** de protección, son los siguientes:

❑ **Contributivo** (restaciones sustitutivas de renta perdida):

♦ Por pérdida de empleo o

♦ Reducción de jornada entre un mínimo de un 10 y un máximo de un 70%.

❑ **Asistencial:**

♦ Complementario del anterior, por razones económicas y sociales.

4.15.2. Nivel contributivo

A) Beneficiarios

En el nivel contributivo encontramos la denominada prestación por desempleo, de la que son beneficiarios:

❑ Trabajadores por cuenta ajena del Régimen General, incluidas las personas del Sistema Especial de Empleados de Hogar.

❑ Trabajadores de determinados regímenes especiales (Minería del Carbón, Mar).

❑ Socios trabajadores de Cooperativas de Trabajo Asociado, siempre que opten por un régimen que incluya la protección por desempleo.

❑ Penados liberados.

❑ Emigrantes retornados.

❑ Funcionarios de empleo, civiles o militares.

❑ Cargos públicos sindicales con dedicación exclusiva y retribución (Ley 37/2006, de 7 de diciembre).

En este punto hay que señalar que la Ley 32/2010, de 5 de agosto, que ha sido desarrollada en este aspecto por el Real Decreto 1541/2011, de 31 de octubre, estableció un sistema específico de **protección por cese de actividad de los trabajadores autónomos**. No se denomina prestación por desempleo pero, en definitiva, es un mecanismo de protección social para los trabajadores por cuenta propia o autónomos cuando se produce el cese en la actividad de los mismos, entre otros, por motivos económicos, técnicos, productivos u organizativos determinantes de la inviabilidad de proseguir la actividad económica o profesional. La regulación de esta prestación por cese de actividad se halla actualmente recogida en los artículos 327 a 350 del TRLGSS, en la redacción dada a los mismos por el Real Decreto Ley 28/2018, de 28 de diciembre.

B) Exclusiones

Volviendo al Régimen General de la Seguridad Social, estarán excluidos de la protección contributiva por desempleo, entre otros:

- ❑ Administradores de sociedades mercantiles capitalistas (S.A. y S.L.) y socios que posean el control efectivo de las mismas en los términos establecidos en el artículo 305.2 del TRLGSS.

- ❑ Administradores de esas mismas sociedades mercantiles capitalistas que tengan dirección y gerencia, aunque no tengan el mencionado control efectivo. En este caso, a pesar de que se encuadran en el Régimen General como asimilados a trabajadores por cuenta ajena, no tienen protección por desempleo, y tampoco tienen derecho a percibir las prestaciones del Fondo de Garantía Salarial (artículo 136.c del TRLGSS).

- ❑ Determinados trabajadores extranjeros (transfronterizos, de campaña, de obras de montaje, artistas...).

C) Requisitos

Los requisitos para acceder a la prestación por desempleo son los siguientes:

1. Estar afiliado y en alta o situación asimilada al alta, e inscrito como demandante de empleo en el Servicio Público de Empleo competente.

2. Tener cotizados 360 días en los 6 años anteriores al cese o al fin de la obligación de cotizar. A estos efectos, si en el momento de la situación legal de desempleo se mantenían uno o varios contratos a tiempo parcial, se tendrán en cuenta exclusivamente, a los solos efectos de cumplir el requisito de acceso a la prestación, los períodos de cotización en los trabajos en los que se haya perdido el empleo, de forma temporal o definitiva, o se haya visto reducida la jornada ordinaria de trabajo.

3. No tener la edad ordinaria para acceder a la pensión de jubilación, salvo que falte carencia y no se tenga derecho a la pensión.

4. No incurrir en causa de incompatibilidad.

5. Suscribir el acuerdo de actividad al que se refiere el artículo 3 de la Ley 3/2023, de Empleo, y hallarse en Situación Legal de Desempleo y suscribir acuerdo de actividad (disponibilidad para buscar activamente empleo y aceptar una colocación adecuada). A estos efectos, **se consideran situaciones legales de desempleo** los siguientes casos:

♦ Extinción del contrato de trabajo en los siguientes supuestos:

◊ En virtud de despido colectivo, adoptado por decisión del empresario al amparo de lo establecido en el artículo 51 del TRLET, o de resolución judicial adoptada en el seno de un procedimiento concursal.

◊ Muerte, jubilación, IP del empresario (salvo que se produzca sucesión de empresa de acuerdo con el artículo 44 del TRLET).

◊ Despido, sea o no procedente.

◊ Extinción por causas objetivas.

◊ Voluntad del trabajador en los supuestos contenidos en los siguientes artículos: 40, 41.3, 49.1.m, y 50 del TRLET.

◊ Por expiración del tiempo convenido o realización de la obra o servicio objeto del contrato, siempre que dichas causas lo hayan actuado por denuncia del trabajador.

◊ Resolución en periodo de prueba, a instancia del empresario, siempre que la extinción de la relación laboral anterior se hubiera debido a alguno de los supuestos de situación legal de desempleo, o haya transcurrido un plazo de tres meses desde dicha extinción.

♦ Fijos discontinuos, incluidos los que realicen trabajos fijos y periódicos que se repitan en fechas ciertas, en los periodos en los que no tienen actividad.

♦ Cuando se suspenda temporalmente su relación laboral, por decisión del empresario al amparo de lo establecido en el artículo 47 del TRLET, o en virtud de resolución judicial adoptada en el seno de un procedimiento concursal, o en el supuesto contemplado en la letra n), del apartado 1 del artículo 45 del propio TRLET.

♦ Cuando se reduzca temporalmente la jornada ordinaria diaria de trabajo, por decisión del empresario al amparo de lo establecido en el artículo 47 del TRLET, o en virtud de resolución judicial adoptada en el seno de un procedimiento concursal.

♦ Trabajadores retornados a España al extinguir relación laboral en el extranjero sin derecho en el otro país a prestación por desempleo y sin cotización previa suficiente en España.

♦ Cuando se trate de miembros de las corporaciones locales, cuando se produzca el cese involuntario y con carácter definitivo en los correspondientes cargos

o cuando, aun manteniendo el cargo, se pierda con carácter involuntario y definitivo la dedicación exclusiva o parcial.

Por el contrario, **no se consideran situaciones legales de desempleo**:

♦ El cese voluntario del trabajador, salvo cuando es situación legal de desempleo en los supuestos descritos anteriormente.

♦ No disponibilidad para buscar empleo o aceptar colocación adecuada.

♦ No reincorporación del trabajador tras despido declarado improcedente (cuando se hubiera optado por la readmisión) o nulo.

♦ No reingreso, en el plazo establecido, tras excedencias o suspensiones.

El **acuerdo de actividad** al que nos hemos referido es, según la Ley 3/2023, de 28 de febrero, de Empleo -desarrollada en este aspecto por los artículos 45 a 47 del Real Decreto 438/2024, de 30 de abril- un acuerdo documentado mediante el que se establecen derechos y obligaciones entre la persona demandante de los servicios públicos de empleo y el correspondiente Servicio Público de Empleo para incrementar la empleabilidad de aquella, atendiendo, en su caso, a las necesidades de los colectivos prioritarios. Presenta tres vertientes que deben ser cumplidas por el trabajador que solicita la prestación por desempleo:

♦ Buscar activamente empleo.

♦ Aceptar colocación adecuada. Se considerará adecuada, la colocación en la profesión demandada por la persona trabajadora, de acuerdo con su formación, características profesionales, experiencia previa o intereses laborales y también aquella que se corresponda con su profesión habitual o cualquier otra que se ajuste a sus aptitudes físicas y formativas. En los dos últimos casos, además, la oferta deberá implicar un salario equivalente al establecido en el sector en el que se ofrezca el puesto de trabajo.

La colocación que se ofrezca deberá ser indefinida y con un salario, en ningún caso, inferior al salario mínimo interprofesional.

En el marco del acuerdo de actividad voluntariamente aceptado, también será colocación adecuada, la que sea convenida dentro del itinerario de inserción, incluida la colocación de duración determinada regulada en el artículo 15.3 del TRLET y la colocación a tiempo parcial. Solamente en este marco, será adecuada la colocación que se ofrezca en una localidad que no sea la de residencia de la persona trabajadora.

D) Nacimiento del derecho

Por lo que se refiere al nacimiento del derecho, hay que tener en cuenta lo siguiente:

a) Nace el día siguiente al de la situación legal de desempleo si se solicita en 15 días hábiles y se suscribe el acuerdo de actividad.

b) Si pasan más de 15 días, nace en la fecha de la solicitud, perdiendo los días transcurridos.

c) Si se abonan vacaciones pendientes de disfrute, el derecho nace a la finalización de las mismas, si se solicita en los 15 días hábiles.

d) Si hay salarios de tramitación en el marco de un procedimiento por despido, el derecho nace a la finalización de los mismos; si el trabajador ya hubiera cobrado la prestación por desempleo durante el periodo de percepción de los salarios de tramitación, esa prestación es indebida y se debe devolver. En el caso de que se produzca la readmisión del trabajador en la empresa, el empresario deducirá de los salarios pendientes de abono el importe de la prestación cobrada indebidamente, e ingresará esa cantidad en la Agencia Española de Empleo.

E) Duración de la prestación

La duración de la prestación dependerá del número de días cotizados dentro de los 6 años anteriores:

Días Cotizados	Días de Prestación
Desde 360 a 539	120
Desde 540 a 719	180
Desde 720 a 899	240
Desde 900 a 1.079	300
Desde 1.080 a 1.259	360
Desde 1.260 a 1.439	420
Desde 1.440 a 1.619	480
Desde 1.620 a 1.799	540
Desde 1.800 a 1.979	600
Desde 1.980 a 2.159	660
Desde 2.160	720

A estos efectos hay que tener en cuenta que:

❑ Computan todas las cotizaciones no utilizadas para el reconocimiento de un derecho anterior (incluidas las de vacaciones no disfrutadas), salvo en el caso de las víctimas de violencia de género en los términos de su normativa específica, es decir, la Ley Orgánica 1/2004, de 28 de diciembre.

❑ No computan las cotizaciones efectuadas durante el percibo de la prestación, salvo en el caso de las víctimas de violencia de género en los términos de su normativa específica, es decir, la Ley Orgánica 1/2004, de 28 de diciembre.

❑ Cotiza la AEE la totalidad de la cuota empresarial. El perceptor de la prestación cotiza la parte de cuota de la Seguridad Social correspondiente al trabajador.

❑ La Base de cotización por la que se cotiza es igual a la Base reguladora de la prestación.

F) Cuantía

La cuantía de la prestación se determinará del siguiente modo:

❑ Base reguladora: promedio de las bases de cotización por contingencias profesionales, deducido el importe de las horas extraordinarias, de los últimos 180 días cotizados.

❑ Porcentaje:

♦ 70% (los 180 primeros días).

♦ 60% (desde el día 181). En los supuestos de aplicación del Mecanismo RED, regulado en el artículo 47 bis del TRLET, el porcentaje se mantendrá en el 70% durante todo el tiempo de prestación.

❑ Las cuantías máximas y mínimas de la prestación, a tiempo completo, son las siguientes:

♦ Mínimo: 80% del IPREM, incrementado en 1/6 parte, si no tiene hijos a cargo. Se consideran a cargo los hijos menores de 26 años o incapacitados que convivan con el perceptor, siempre que no perciban rentas iguales o superiores al SMI.

♦ Mínimo: 107% del IPREM, incrementado en 1/6 parte, si tiene hijos a cargo.

♦ Máximas: sobre el del IPREM, incrementado en 1/6 parte, serán el 175% (sin hijos a cargo), 200% (con 1 hijo), 225% (con 2 o más hijos).

◆ Recordemos, a estos efectos, que el IPREM mensual durante el año 2026 es de 600,00 euros.

❏ No hay pagas extraordinarias.

❏ *Hay distintas posibilidades de percibir capitalizada, es decir, mediante un pago concentrado que puede darse en una sola vez, la prestación por desempleo. El sistema de capitalización está regulado en la Ley 31/2015, de 9 de septiembre, por la que se modifica y actualiza la normativa en materia de autoempleo y se adoptan medidas de fomento y promoción del trabajo autónomo y de la Economía Social, que modifica el artículo 34 de la Ley 20/2007, del Estatuto del Trabajo Autónomo. El desarrollo reglamentario viene constituido por el Real Decreto 1044/1985, de 19 de junio.*

G) Suspensión del derecho

El derecho a la prestación puede **ser suspendido** por alguna de las siguientes causas:

❏ Por sanción (artículos 24 y 25 de la Ley de Infracciones y Sanciones en el Orden Social). Las faltas leves suspenden 1, 3 o 6 meses la prestación, mientras que las muy graves lo hacen 3 o 6 meses. En estos supuestos se pierde la prestación del tiempo de suspensión. Si finalizado el período de suspensión por sanción, el beneficiario de prestaciones no se encontrara inscrito como demandante de empleo, la reanudación de la prestación requerirá su previa comparecencia ante la Entidad Gestora acreditando dicha inscripción.

❏ Por cumplimiento de condena privativa de libertad, salvo que se tengan cargas familiares y rentas inferiores al SMI.

❏ Por realizar trabajos por cuenta ajena de menos de 12 meses o por cuenta propia de menos de 24 meses.

❏ Durante tramitación de recurso del empresario que opta por la readmisión (art. 297 de la LJS).

❏ Traslado de residencia al extranjero para búsqueda de empleo o cooperación internacional por menos de 12 meses. En otro caso, es extinción.

H) Extinción del derecho

Las causas de extinción son las siguientes:

❏ Fallecimiento.

❏   Agotamiento del plazo de duración.

❏   Realización de trabajo por cuenta ajena de más de 12 meses (opción en 10 días por escrito, perdiendo la prestación no elegida) o por cuenta propia de más de 24 meses.

❏   Cumplimiento de la edad ordinaria de jubilación (si se tiene carencia para acceder a la pensión).

❏   Pasar a ser pensionista de jubilación o IP en los grados de total, absoluta o gran incapacidad. En este caso, deberá optar entre una prestación u otra.

❏   Traslado al extranjero, salvo si es causa de suspensión.

❏   Renuncia voluntaria al derecho.

❏   Sanción: tanto las faltas leves (cuando se cometen reincidentemente 4 faltas) como las graves (3 faltas) y las muy graves, pueden acarrear extinción del derecho.

Faltas y sanciones de los perceptores de prestaciones por desempleo
(Ley de Infracciones y Sanciones en el Orden Social.
Real Decreto Legislativo 5/2000):

Nota: *a efectos de cómputo de las segundas y sucesivas faltas, no debe transcurrir un periodo superior a 365 días entre una falta y la siguiente.*

4.15.3. Nivel asistencial

En el nivel no contributivo o asistencial encontramos el denominado subsidio por desempleo, que presenta dos modalidades:

❑ Ordinario.

❑ Para mayores de 52 años.

A) Beneficiarios

Los beneficiarios del subsidio ordinario deben cumplir los siguientes requisitos:

❑ Ser demandantes de empleo inscritos durante 1 mes en la oficina de empleo.

❑ No rechazar oferta adecuada ni negarse a participar en acciones de mejora de la ocupabilidad.

❑ Carecer de rentas superiores al 75% SMI. No computan las prestaciones familiares, el convenio especial, la vivienda habitual y las indemnizaciones despido. Recordemos que el SMI en 2026 tiene una cuantia mensual de 1.221,00 euros.

❑ Hallarse en alguna de las siguientes situaciones:

♦ Haber agotado la prestación (salvo si fue por sanción) y tener cargas familiares, es decir, cónyuge o hijos menores de 26 años o incapacitados con rentas

menores al 75% del SMI, siempre que la renta total de la unidad familiar dividida por el número de miembros no supere el 75% del SMI.

♦ Haber agotado (salvo por sanción) la prestación, sin responsabilidades familiares y ser mayor de 45 años.

♦ Ser emigrante retornado de países que no pertenecen al Espacio Económico Europeo, o Suiza o países con los que España no tiene convenio vigente, siempre que haya trabajado 12 meses en 6 años, sin derecho a prestación por desempleo.

♦ Penado liberado (6 meses mínimo de condena) sin derecho a prestación por desempleo.

♦ Haber sido declarado capaz o IP parcial tras revisión de una IP total, absoluta o gran incapacidad.

♦ En último lugar, hay un supuesto peculiar de subsidio, que se conoce como "subsidio contributivo". Para acceder a este subsidio se exige estar en situación legal de desempleo y no tener derecho a la prestación contributiva por tener menos de 12 meses cotizados dentro de los 6 años anteriores al hecho causante. En estos casos se percibirá subsidio durante:

◊ Entre tres y veintiún meses si se tienen responsabilidades familiares:

a) 3 meses cotizados: 3 de subsidio.

b) 4 meses cotizados: 4 de subsidio.

c) 5 meses cotizados: 5 de subsidio.

d) 6 o más meses cotizados: 21 meses de subsidio.

◊ Seis meses, aún sin responsabilidades familiares (6 meses de duración del subsidio).

B) Cuantía

La cuantía del subsidio será el 80% del IPREM vigente, resultando para 2026 un importe de 480,00 euros mensuales. Hay que tener en cuenta que, desde la entrada en vigor del Real Decreto Ley 20/2012, de 13 de julio, en el caso de desempleo por pérdida de un trabajo a tiempo parcial, la cuantía del subsidio se percibirá en proporción a las horas previamente trabajadas. Además, durante la percepción del subsidio, se mantiene el derecho a las prestaciones de Asistencia Sanitaria y Protección a la Familia; solamente en el subsidio de mayores de 55 años el SEPE cotiza también por el perceptor a la contingencia de jubilación, de acuerdo con lo establecido en el artículo 280 del TRLGSS.

C) Duración

La duración del subsidio depende de los siguientes factores:

1. La edad del beneficiario.

2. La duración de la prestación contributiva (Prestación por Desempleo) agotada por el beneficiario.

En función de esos dos parámetros se establece la duración del subsidio:

1	2	3
Menores de 45 años	4 meses	18 meses
	6 o más meses	24 meses
Mayores de 45 años	4 meses	24 meses
	6 o más meses	30 meses

D) Presentación de la solicitud

El plazo para presentar la solicitud y para las prórrogas es de 15 días. El subsidio se reconoce por periodos de 6 meses, con prórrogas posteriores en su caso y hasta la duración máxima prevista, de igual duración. Por lo que se refiere a los fijos discontinuos, la duración del subsidio depende del número de meses cotizados en el año anterior.

E) Subsidio de mayores de 52 años

Como ya vimos, además del subsidio ordinario, existe un subsidio especial para mayores de 52 años.

EL SUBSIDIO DE MAYORES DE 55 AÑOS	Características	<ul><li>Debe tratarse de un desempleado.</li><li>Debe tener al menos 52 años de edad.</li><li>Debe ser demandante de empleo, sin haber rechazado una oferta adecuada.</li><li>Sus rentas no pueden ser superiores al 75% del SMI.</li><li>Debe haber cotizado a desempleo al menos 6 años durante su vida (computan las cotizaciones realizadas en países del Espacio Económico Europeo, la UE, Suiza o Australia).</li><li>Debe tener todos los requisitos, salvo edad, para acceder a la pensión de jubilación.</li><li>Debe estar en algún supuesto de subsidio, pero sin necesidad de cargas familiares.</li><li>Lo más peculiar es la duración de este subsidio, que puede llegar hasta la edad ordinaria de jubilación.</li></ul>

F) Programas de activación para el empleo

El Real Decreto 818/2021, de 28 de septiembre, regula los programas comunes de activación para el empleo del Sistema Nacional de Empleo. Esta norma ha sido modificada por el Real Decreto 1248/2024, de 10 de diciembre, tiene como objeto determinar los aspectos esenciales de los programas comunes de activación para el empleo que podrán ser aplicados y, en su caso, desarrollados en sus aspectos no esenciales por todos los integrantes del Sistema Nacional de Empleo.

Los programas comunes de políticas activas de empleo, que serán de aplicación en todo el territorio estatal, se configuran como un conjunto de medidas dirigidas a mejorar las posibilidades de acceso al empleo, por cuenta ajena o propia, de las personas desempleadas, al mantenimiento del empleo y a la promoción profesional de las personas ocupadas y al fomento del espíritu empresarial y de la economía social, desarrolladas y ejecutadas por los servicios públicos de empleo como acciones concretas y puntuales de activación o reactivación para el empleo respecto de personas y colectivos prioritarios, de acuerdo con las circunstancias del mercado de trabajo y las disponibilidades presupuestarias para su realización.

En cuanto a las personas destinatarias finales de estos programas, y siempre que cumplan con los requisitos específicos establecidos para cada uno de ellos, serán las personas desempleadas, entendiéndose como tales, a los efectos de esta disposición, las personas demandantes de empleo y servicios en situación laboral de no ocupadas registradas en los servicios públicos de empleo, con independencia de su nacionalidad, origen étnico, sexo, edad, religión o creencias, ideología, enfermedad o cualquier otra condición o circunstancia personal o social.

4.15.4. Incompatibilidades

Con carácter general, la prestación y el subsidio por desempleo son incompatibles con el trabajo por cuenta propia y con la obtención de prestaciones contributivas de carácter económico de la Seguridad Social, salvo que éstas hubieran sido compatibles con el trabajo que originó la prestación o el subsidio. También son incompatibles con cualquier tipo de rentas mínimas, salarios sociales o ayudas de asistencia social concedidas por cualquier Administración Pública. Sin embargo, son compatibles con la realización de prácticas formativas, prácticas académicas externas incluidas en programas de formación profesional o programas de formación en el trabajo.

En cuanto a la compatibilidad con el trabajo por cuenta ajena, el Real Decreto Ley 2/2024, de 21 de mayo, ha introducido importantes novedades, de modo que se ha creado el denominado "complemento de apoyo al empleo", que permite compatibilizar la percepción de un porcentaje de la prestación o del subsidio con el trabajo por cuenta ajena, ya sea a tiempo completo o a tiempo parcial.

En el caso del subsidio por desempleo, el complemento de apoyo al empleo tendrá una duración máxima de 180 días y durante su percepción se consumirán tantos días de la duración del subsidio como los días percibidos en concepto de complemento de apoyo al empleo.

En el caso de la prestación por desempleo, será incompatible con el trabajo por cuenta ajena, excepto cuando éste se realice a tiempo parcial y se haya solicitado la compatibilidad por el trabajador, en cuyo caso se deducirá del importe de la prestación, la parte proporcional al tiempo trabajado. En el caso de prestaciones nacidas a partir del 1 de abril de 2025, también será posible percibir el complemento de apoyo al empleo, en los términos establecidos en la Disposición Adicional 59ª del TRLGSS.

4.15.5. Desempleo e Incapacidad Temporal y Nacimiento y cuidado de menor

Para finalizar con la protección por desempleo, veremos la regulación de las situaciones en las que interrelacionan estas prestaciones con las de Incapacidad Temporal y nacimiento y cuidado de menor. Caben las siguientes posibilidades:

1. Cuando el trabajador se encuentre en situación de incapacidad temporal derivada de contingencias comunes y durante la misma se extinga su contrato, seguirá percibiendo la prestación por incapacidad temporal en cuantía igual a la prestación por desempleo hasta que se extinga dicha situación, pasando entonces a la situación legal de desempleo en el supuesto de que la extinción se haya producido por alguna de las causas de situación legal de desempleo, si reúne los requisitos necesarios, la prestación por desempleo contributivo que le corresponda de haberse iniciado la percepción de la misma en la fecha de extinción del contrato de trabajo, o el subsidio por desempleo. En tal caso, se descontará del período de percepción de la prestación por desempleo, como ya consumido, el tiempo que hubiera permanecido en la situación de incapacidad temporal a partir de la fecha de la extinción del contrato de trabajo.

2. Cuando el trabajador se encuentre en situación de incapacidad temporal derivada de contingencias profesionales y durante la misma se extinga su contrato de trabajo, seguirá percibiendo la prestación por incapacidad temporal, en cuantía igual a la que tuviera reconocida, hasta que se extinga dicha situación, pasando entonces, en su caso, a la situación legal de desempleo en el supuesto de que la extinción se haya producido por alguna de las causas de situación legal de desempleo, y a percibir, si reúne los requisitos necesarios, la correspondiente prestación por desempleo sin que, en este caso, proceda descontar del período de percepción de la misma el tiempo que hubiera permanecido en situación de incapacidad temporal tras la extinción del contrato, o el subsidio por desempleo.

3. Cuando el trabajador se encuentre en situación de nacimiento y cuidado de menor, y durante la misma se extinga su contrato por alguna de las causas de situación legal de desempleo, seguirá percibiendo la prestación por nacimiento y cuidado de menor hasta que se extinga dicha situación, pasando entonces a la situación legal de desempleo y a percibir, si reúne los requisitos necesarios, la correspondiente presta-

ción. En este caso no se descontará del período de percepción de la prestación por desempleo de nivel contributivo el tiempo que hubiera permanecido en situación de nacimiento y cuidado de menor.

4. Cuando el trabajador esté percibiendo la prestación de desempleo total y pase a la situación de incapacidad temporal que constituya recaída de un proceso anterior iniciado durante la vigencia de un contrato de trabajo, percibirá la prestación por esta contingencia en cuantía igual a la prestación por desempleo. En este caso, y en el supuesto de que el trabajador continuase en situación de incapacidad temporal una vez finalizado el período de duración establecido inicialmente para la prestación por desempleo, seguirá percibiendo la prestación por incapacidad temporal en la misma cuantía en la que la venía percibiendo.

5. Cuando el trabajador esté percibiendo la prestación de desempleo total y pase a la situación de incapacidad temporal que no constituya recaída de un proceso anterior iniciado durante la vigencia de un contrato de trabajo, percibirá la prestación por esta contingencia en cuantía igual a la prestación por desempleo. En este caso, y en el supuesto de que el trabajador continuase en situación de incapacidad temporal una vez finalizado el período de duración establecido inicialmente para la prestación por desempleo, seguirá percibiendo la prestación por incapacidad temporal en cuantía igual al 80% del indicador público de rentas de efectos múltiples mensual, excluida la parte proporcional de las pagas extras.

6. Cuando el trabajador esté percibiendo la prestación por desempleo total y pase a la situación de nacimiento y cuidado de menor, percibirá la prestación por esta última contingencia en la cuantía que corresponda.

7. El período de percepción de la prestación por desempleo no se ampliará por la circunstancia de que el trabajador pase a la situación de incapacidad temporal. Durante dicha situación, la Entidad Gestora de las prestaciones por desempleo continuará satisfaciendo las cotizaciones a la Seguridad Social.

8. Si el trabajador pasa a la situación de nacimiento y cuidado de menor, se le suspenderá la prestación por desempleo y la cotización a la Seguridad Social antes indicada y pasará a percibir la prestación por nacimiento y cuidado de menor, gestionada directamente por su Entidad Gestora. Una vez extinguida la prestación por nacimiento y cuidado de menor, se reanudará la prestación por desempleo por la duración que restaba por percibir y la cuantía que correspondía en el momento de la suspensión.

4.16. Otras prestaciones

El catálogo de prestaciones que hemos venido examinando, a pesar de su exhaustividad, no agota todas las posibilidades de protección que presenta nuestro sistema de Seguridad Social y sus complementos. Así, pueden darse otros supuestos de protección que podemos clasificar e ilustrar con algún ejemplo.

Tales supuestos se relacionan a continuación.

4.16.1. Prestaciones que han sido derogadas y extinguidas, pero que todavía pueden conservar quienes las solicitaron y obtuvieron antes de que se produjera su extinción

 *El subsidio de Garantía de Ingresos Mínimos. Estaba regulado en la Ley 13/1982, de Integración Social de Minusválidos (LISMI) y en el Real Decreto 383/1984, de 1 de febrero, y exigía los siguientes requisitos:*

❑ *Carencia de medios de subsistencia.*

❑ *Discapacidad al menos del 65%.*

Fue suprimido por la Ley 26/1990, de pensiones no contributivas, pero quienes lo tuvieran reconocido con anterioridad lo siguen percibiendo. Actualmente su importe es de 149,86 euros mensuales.

En idéntica situación se encuentra el antiguo Subsidio de Ayuda de Tercera Persona, cuya cuantía actual es de 58,45 euros.

4.16.2. Prestaciones que complementan la acción protectora para determinados colectivos

A) Servicios sociales

 *El Subsidio de Movilidad y Compensación por gastos de Transporte estaba regulado en la Ley 13/1982, de Integración Social de Minusválidos (LISMI). Este subsidio no fue suprimido por la Ley 26/1990, y puede ser solicitado y reconocido en la actualidad por personas con discapacidad con la finalidad de contribuir a los gastos de transporte que puedan tener. El Real Decreto 1341/2018, de 29 de octubre, establece medidas transitorias para el mantenimiento, en favor de las personas con discapacidad, de este subsidio.*

Sus requisitos son:

❑ *No estar comprendido en el campo de aplicación del sistema de la Seguridad Social por no desarrollar actividad laboral.*

❑ *No ser beneficiario o no tener derecho, por edad o por cualesquiera otras circunstancias a prestación o ayuda de análoga naturaleza y finalidad y, en su caso, de igual o superior cuantía otorgada por otro organismo público.*

❑ *No superar el nivel de recursos económicos personales y/o familiares del 70%, en cómputo anual del Indicador Público de Renta de Efectos Múltiples (IPREM), vigente en cada momento. En el supuesto de que el beneficiario tenga personas a su cargo o dependa de una unidad familiar dicho importe se incrementará en un 10%, por cada miembro distinto del beneficiario hasta el tope máximo del 100% del citado salario.*

❑ Tener tres o más años y una discapacidad en grado de igual o superior al 33%.

❑ Tener grave dificultad para utilizar transportes colectivos, pero no encontrarse imposibilitado para desplazarse fuera de casa.

❑ Si está interno en centro, salir al menos diez fines de semana al año.

Su importe en el año 2026 es de 1.029,60 euros anuales.

Además de todas las prestaciones de la Seguridad Social, la acción protectora se complementa con los denominados Servicios Sociales.

Dentro de la acción protectora del sistema de Seguridad Social se hallan las prestaciones de servicios sociales que puedan establecerse en materia de reeducación y rehabilitación de incapacitados y de asistencia a la tercera edad, así como en aquellas otras materias en que se considere conveniente.

Las personas con discapacidad en edad laboral tendrán derecho a beneficiarse de la prestación de recuperación profesional que regula el TRLGSS.

B) La Asistencia Social y el Ingreso Mínimo Vital (IMV)

Como complemento de proximidad y de individualización de la protección, encontramos la denominada Asistencia Social. En este sentido, las Comunidades Autónomas podrán asumir competencias en materia de Asistencia Social, y de hecho todas ellas han asumido estas competencias en la actualidad.

La Seguridad Social podrá dispensar a las personas incluidas en su campo de aplicación y a los familiares o asimilados que de ellas dependan los servicios y auxilios económicos que, en atención a estados y situaciones de necesidad, se consideren precisos, previa demostración, salvo en casos de urgencia, de que el interesado carece de los recursos indispensables para hacer frente a tales estados o situaciones. En las mismas condiciones, en los casos de separación judicial o divorcio, tendrán derecho a las prestaciones de asistencia social el cónyuge y los descendientes que hubieran sido beneficiarios por razón de matrimonio o filiación.

La asistencia social podrá ser concedida por las entidades gestoras con el límite de los recursos consignados a este fin en los Presupuestos correspondientes, sin que los servicios o auxilios económicos otorgados puedan comprometer recursos del ejercicio económico siguiente a aquel en que tenga lugar la concesión.

En este ámbito, y sin perjuicio de las competencias ejercidas en el mismo por las Comunidades Autónomas, el Real Decreto Ley 20/2020, de 29 de mayo, ha aprobado el Ingreso Mínimo Vital, que ha sido configurado como una prestación económica del nivel no contributivo de la Seguridad Social.

El Boletín Oficial del Estado de 1 de junio de 2020 publicó el Real Decreto Ley 20/2020, de 29 de mayo, por el que se establece el ingreso mínimo vital (IMV), actualmente regulado en la Ley 19/2021, de 20 de diciembre. Se trata de una prestación dirigida a prevenir el riesgo de pobreza y exclusión social de las personas que vivan solas o integradas en una unidad de convivencia, cuando se encuentren en una situación de vulnerabilidad por el hecho de no tener recursos económicos suficientes para cubrir sus necesidades básicas. Veamos a continuación, en síntesis, el contenido básico de esta importante novedad legislativa, que constituye, sin duda, un elemento de progreso en nuestro sistema de protección social.

Esta nueva prestación económica forma parte de la acción protectora del Sistema de la Seguridad Social en el nivel no contributivo, que será gestionada, excepto en los territorios forales, por el Instituto Nacional de la Seguridad Social –que podrá suscribir convenios de gestión con las Comunidades Autónomas y los entes locales–, y se establece sin perjuicio de las ayudas que las Comunidades Autónomas puedan disponer en el ejercicio de sus competencias en materia de asistencia social. El ministro de Inclusión, Seguridad Social y Migraciones, en la presentación del IMV el día 24 de mayo de 2020, señaló que la previsión del Gobierno es que esta nueva prestación llegue a 850.000 familias en el conjunto del Estado, lo que supone dar cobertura a 2,3 millones de personas. Según los datos estadísticos publicados por el Ministerio de Inclusión, Seguridad Social y Migraciones, en diciembre de 2025 había en España un total de 3.393.05 beneficiarios del IMV, de los cuales el 43 por ciento son menores.

En cuanto a los beneficiarios del IMV, pueden ser las personas integrantes de una unidad de convivencia en los términos que establece el artículo 6 de la Ley 19/2021, constituida –salvo excepciones– menos durante el año anterior a la solicitud licitud del IMV. También pueden ser beneficiarias las personas de al menos 23 años y menores de 65 años –salvo que se trate de víctimas de violencia de género o tráfico de seres humanos y explotación sexual– que viven solas, o que, compartiendo domicilio con una unidad de convivencia, no se integran, siempre que no haya vínculo conyugal o como pareja de hecho, y no formen parte de otra unidad de convivencia. En este último caso –con excepciones para víctimas o personas en trámite de separación o divorcio, entre otros–, se debe acreditar al menos 12 meses de alta en cualquiera de los regímenes que integran el sistema de la Seguridad Social.

Los requisitos básicos para acceder a la prestación, recogidos en el artículo 7 de la Ley 19/2021, hacen referencia a la residencia en España –con excepciones para menores y víctimas– menos de un año anterior ininterrumpido –excepto ausencias inferiores a 90 días o por enfermedad– antes de la solicitud, la acreditación de la situación de vulnerabilidad económica por tener ingresos o rentas inferiores al menos en 10 euros al importe del IMV –arts. 8 y 18 de la Ley 19/2021–, la acreditación de solicitud de las prestaciones a que se pueda tener derecho y de la inscripción como demandantes de empleo en el caso de mayores de edad o emancipados parados. A estos efectos, hay que tener en cuenta que no computan como rentas, entre otros, los salarios sociales, rentas mínimas de inserción o ayudas sociales análogas concedidas por las Comunidades Autónomas, ni las becas, ayudas de estudios,

ayudas para vivienda, emergencia o similares. En ningún caso pueden acceder a este IMV –excepto en el caso de las víctimas ya referidas– las personas usuarias de una prestación de servicio residencial, de carácter social, sanitario o sociosanitario, con carácter permanente y financiada con fondos públicos.

La cuantía y el pago del IMV se regulan en los artículos 9 a 11 de la Ley 19/2021. El derecho se hace efectivo por meses naturales a partir del día primero del mes siguiente al de la presentación de la solicitud. En el 2026 la cuantía para un único beneficiario es de 604,22 euros mensuales. En el caso de una unidad de convivencia, la cuantía mensual se incrementa en un 30% por miembro adicional a partir del segundo hasta un máximo del 220% (es decir, el máximo mensual para una unidad de convivencia es de 1.329,27 euros). También se establece un complemento de monoparentalidad del 22% del importe anual de las pensiones no contributivas dividido entre doce.

Las cuantías del IMV en 2026 son las siguientes:

NÚMERO DE PERSONAS DE LA UNIDAD DE CONVIVENCIA					
	1	**2**	**3**	**4**	**5**
Renta garantizada	8.803,20	11.444,16	14.085,12	16.726,08	19.367,04
	733,60	953,68	1.173,76	1.393,84	1.613,92
y complemento de…					
Discapacidad*	10.739,88	13.380,84	16.021,80	18.662,76	21.303,72
	894,995	1.115,07	1.335,15	1.555,23	1.775,31
Monoparentalidad	-	13.380,84	16.021,80	18.662,7	21.303,72
	-	1.115,07	1.335,15	1.555,23	1..775,31
** Grado de **discpacidad** igual o superior al 65%*					

Complemento mensual de ayuda a la infancia por cada menor miembro de la unidad de convivencia:

MENORES DE 3 AÑOS	MAYORES DE 3 AÑOS Y MENORES DE 6 AÑOS	MAYORES DE 6 AÑOS Y MENORES DE 18 AÑOS
115,00 euros	80,50 euros	57,50 euros

Únicamente se podrá acceder al IMV si los ingresos son inferiores a la renta garantizada, y la cantidad recibida será la necesaria para que el beneficiario alcance este umbral económico. La renta garantizada en el año 2026 es la siguiente:

❑   Para un beneficiario individual, la renta garantizada es de 8.803,20 euros al año, o 733,60 euros al mes.

❑   En el caso de una unidad de convivencia, su renta garantizada se incrementa en un 30% por cada miembro adicional. Sin embargo, a partir de 5 miembros la cantidad deja de aumentar, por lo que la renta garantizada de la unidad de convivencia no puede superar el 220% de una renta individual. Por lo tanto, para una unidad de 5 miembros o más, la renta garantizada será de 19.367,04 euros anuales, o 1.613,92 euros mensuales.

En unidades de convivencia monoparentales, se añade un 22% de una renta garantizada individual a la cantidad percibida. Por otra parte, si algún miembro de la unidad tiene un grado de discapacidad reconocido igual o superior al 65%, se añadirá otro complemento de cuantía igual que la del complemento por monoparentalidad.

Las causas de suspensión y extinción del derecho al IMV se recogen en los artículos 14 y 15 de la Ley 19/2021, y se exige a los beneficiarios que comuniquen cualquier circunstancia que pueda afectar a su derecho en un plazo máximo de 30 días desde que se produzca. También se regula la estructura orgánica y participativa relacionada con esta nueva prestación, así como el régimen de infracciones y sanciones aplicable. Hay que tener en cuenta que el Real Decreto 240/2026, de 25 de marzo, modifica el Real Decreto 789/2022, de 27 de septiembre, por el que se regula la compatibilidad del Ingreso Mínimo Vital con los ingresos procedentes de rentas del trabajo o de la actividad económica por cuenta propia con el fin de mejorar las oportunidades reales de inclusión social y laboral de las personas beneficiarias de la prestación.

Finalmente, el Real Decreto Ley 8/2023, de 27 de diciembre, ha establecido que las Comunidades Autónomas de régimen común podrán asumir, en su ámbito territorial, la gestión de la prestación no contributiva del ingreso mínimo vital que corresponde al Instituto Nacional de la Seguridad Social, que incluya la iniciación, tramitación, resolución y control por parte de la Comunidad Autónoma, mediante la celebración del correspondiente convenio con la Administración del Estado, que deberá respetar el carácter unitario del régimen económico de la Seguridad Social y el principio de solidaridad. En dicho convenio, que podrá tener una duración determinada o carácter indefinido, se establecerán los procedimientos, plazos y compromisos necesarios para una ordenada gestión de dicha prestación. Como consecuencia de tal previsión, la Resolución de 29 de agosto de 2024, de la Secretaría General Técnica, publica el Convenio con la Generalidad de Cataluña, para la asunción por la Generalidad de la gestión de la prestación no contributiva del IMV.

C)   Protección de la dependencia

Por último, hay que hacer necesariamente mención, aunque sea brevemente, a la protección de la Dependencia.

El sistema de protección de las situaciones de necesidad que incluye la Ley General de la Seguridad Social se ve complementado con la publicación de la Ley 39/2006, de 14 de

diciembre, de Promoción de la Autonomía Personal y Atención a las personas en situación de Dependencia (LD), que entró en vigor el día 1 de enero de 2007, estableciendo un catálogo de prestaciones económicas y asistenciales nuevas y específicas para las personas que se hallan en situación de dependencia, en los distintos niveles que contempla la norma. El texto completo de la norma puede verse en el apartado de Normativa Básica.

La LD regula las condiciones básicas de promoción de la autonomía personal y de atención a las personas en situación de dependencia mediante la creación de un Sistema para la Autonomía y Atención a la Dependencia (SAAD), con la colaboración y participación de todas las Administraciones Públicas. El Sistema tiene por finalidad principal la garantía de las condiciones básicas y la previsión de los niveles de protección previstos en la propia Ley. A tal efecto, sirve de cauce para la colaboración y participación de las Administraciones Públicas y para optimizar los recursos públicos y privados disponibles. De este modo, configura un derecho subjetivo que se fundamenta en los principios de universalidad, equidad y accesibilidad, desarrollando un modelo de atención integral al ciudadano, al que se reconoce como beneficiario su participación en el Sistema y que administrativamente se organiza en tres niveles.

La Ley establece un nivel mínimo de protección, definido y garantizado financieramente por la Administración General del Estado. Asimismo, como un segundo nivel de protección, la Ley contempla un régimen de cooperación y financiación entre la Administración General del Estado y las Comunidades Autónomas mediante convenios para el desarrollo y aplicación de las demás prestaciones y servicios que se contemplan en la Ley. Finalmente, las Comunidades Autónomas podrán desarrollar, si así lo estiman oportuno, un tercer nivel adicional de protección a los ciudadanos.

La Ley 2/2008, de Presupuestos Generales del Estado para 2009, creó el Fondo de apoyo para la promoción y desarrollo de infraestructuras y servicios del Sistema de Autonomía y Atención a la Dependencia que tendrá por objeto prestar apoyo financiero a las empresas que lleven a cabo dicha actividad. Dicho Fondo se establece por un plazo máximo de duración de diez años.

El Real Decreto 174/2011, de 11 de febrero, aprueba el baremo de valoración de la situación de dependencia, y el Real Decreto 175/2011, de la misma fecha, modifica el Real Decreto 727/2007, de 8 de junio, sobre criterios para determinar las intensidades de protección de los servicios y la cuantía de las prestaciones económicas de la Ley 39/2006, y el Real Decreto 615/2007, de 11 de mayo, por el que se regula la Seguridad Social de los cuidadores de las personas en situación de dependencia.

Otras normas importantes en esta materia son la Orden SSI/2371/2013, de 17 de diciembre, por la que se regula el Sistema de Información del Sistema para la Autonomía y Atención a la Dependencia, el Real Decreto 1050/2013, de 27 de diciembre, por el que se regula el nivel mínimo de protección establecido en la Ley 39/2006, de 14 de diciembre, de Promoción de la Autonomía Personal y Atención a las personas en situación de dependencia, y el Real

Decreto 1051/2013, de 27 de diciembre, por el que se regulan las prestaciones del Sistema para la Autonomía y Atención a la Dependencia, establecidas en la Ley 39/2006, de 14 de diciembre, de Promoción de la Autonomía Personal y Atención a las personas en situación de dependencia.

Una importante novedad introducida por ese Real Decreto Ley 20/2012 es que con carácter general el derecho de acceso a las prestaciones derivadas del reconocimiento de la situación de dependencia se generará desde la fecha de la resolución de reconocimiento de las prestaciones o, en su caso, desde el transcurso del plazo de seis meses desde la presentación de la solicitud sin haberse dictado y notificado resolución expresa de reconocimiento de la prestación.

Otra importante novedad, esta introducida por el Real Decreto Ley 6/2019, de 1 de marzo, es que las cuotas a la Seguridad Social y por Formación Profesional establecidas cada año para el convenio especial de los **cuidadores no profesionales** de las personas en situación de dependencia, serán abonadas conjunta y directamente por el Instituto de Mayores y Servicios Sociales (IMSERSO) a la Tesorería General de la Seguridad Social.

Por lo que hace referencia a los aspectos económicos, el Real Decreto 1082/2017, de 29 de diciembre, determina el nivel mínimo de protección garantizado a las personas beneficiarias del Sistema para la Autonomía y Atención a la Dependencia, fijándolo del siguiente modo:

Expresión cuantificada del nivel mínimo de protección del Sistema para la Autonomía y Atención a la Dependencia

GRADO DE DEPENDENCIA	MÍNIMO DE PROTECCIÓN GARANTIZADO – EUROS/MES
Grado III Gran Dependencia	190,13
Grado II Dependencia Severa	84,49
Grado I Dependencia Moderada	47,38

Por otra parte, el Real Decreto 675/2023, de 18 de julio, establece la intensidad del servicio a domicilio, las cuantías máximas y mínimas de las prestaciones económicas. Son las siguientes:

❑ **Intensidad del servicio de ayuda a domicilio según grado de dependencia**

♦ Grado I: De 20 a 37 horas mensuales.

♦ Grado II: De 38 a 64 horas mensuales.

♦ Grado III: De 65 a 94 horas mensuales.

❏ **Cuantías máximas de las prestaciones económicas**

Grado	Prestación económica vinculada al servicio	Prestación económica de asistencia personal	Prestación económica por cuidados en el entorno familiar
Grado III.	747,25	747,25	455,40
Grado II.	445,30	747,25	315,90
Grado I.	313,50	313,50	180,00

En el supuesto de la prestación económica vinculada al servicio de atención residencial, la cuantía máxima para el grado II será igual a la establecida para el grado III.

En el supuesto de la prestación económica vinculada al servicio de centro de día, la cuantía máxima para el grado I será igual a la establecida para el grado II.»

Nueve. Se añade un anexo V, con el siguiente contenido:

❏ **Cuantías mínimas de las prestaciones económicas**

Grado	Prestación económica vinculada al servicio	Prestación económica de asistencia personal	Prestación económica por cuidados en el entorno familiar
Grado III.	200	200	200
Grado II.	150	150	150
Grado I.	100	100	100

En el supuesto de la prestación económica vinculada al servicio de teleasistencia no resultará de aplicación la cuantía mínima.

Por último, el Real Decreto Ley 11/2025, de 21 de octubre, ha añadido una nueva Disposición Adicional 17ª a la Ley 39/2006, de acuerdo con la cual se crea un nuevo Grado III+ de dependencia extrema, que incluye a las personas que, teniendo reconocido el Grado III de dependencia están diagnosticadas con Esclerosis Lateral Amiotrófica (ELA) en aquella fase avanzada de la enfermedad que determina una dependencia completa para actividades básicas de la vida diaria, así como asistencia instrumental y personal derivada de problemas respiratorios y disfagia. También se incluye a las personas que, teniendo reconocido el Grado III de dependencia, están diagnosticadas con otras enfermedades o procesos de alta complejidad y curso irreversible, la concreción de estos supuestos está pendiente del desarrollo reglamentario de la Ley 3/2024, de 30 de octubre.

A este Grado III+ de dependencia extrema se le asignará un nivel mínimo de protección específico, garantizado por la Administración General del Estado, en función de la prestación o servicio que se disfrute. Actualmente, ese nivel mínimo de protección garantizado es de 4.930 euros al mes.

Las personas que tengan reconocido un Grado III+ de dependencia extrema tendrán reconocido el acceso a una prestación económica vinculada al servicio, de conformidad con el artículo 17, que únicamente podrá ser destinada a ayuda a domicilio, o a una prestación económica de asistencia personal, en los términos previstos en el artículo 19.

Acude a los Contenidos Extra para acceder a los Test de Autoevaluación y los Supuestos Prácticos que acompañan a esta unidad.

Acude a los contenidos extra para visualizar las solicitudes contributiva, corresponsabilidad, prestaciones familiares, ingreso mínimo vital, IP, jubilación, nacimiento y cuidado de menor, viudedad.

Acude a los Contenidos extra para acceder al Test de Autoevaluación Final y consulta el Glosario, Bibliografía y Webgrafía, correspondiente a esta obra.

Resumen

En la unidad hemos analizado las prestaciones que constituyen la acción protectora de la Seguridad Social pueden clasificarse de diversas formas:

❑ Por sus **efectos**: preventivas, reparadoras y rehabilitadoras.

❑ Por su **naturaleza**: sanitarias y económicas.

❑ Por su **duración**: pensión, subsidio, asignación, indemnización.

❑ Por la **percepción**: pago directo o pago delegado.

❑ Por el **título**: derecho propio o derecho derivado.

❑ Por la **financiación**: contributivas o no contributivas.

Las **condiciones generales** de acceso a la acción protectora son estar en alta o en situación asimilada al alta y acreditar un periodo mínimo de cotización, o carencia, en determinados casos.

Además de estas condiciones generales, cada una de las prestaciones presenta sus propias **condiciones particulares** en los que no se requiere hallarse en alta o en situación asimilada al alta.

La dinámica y el procedimiento de reconocimiento de cada una de las prestaciones del Sistema de Seguridad Social se encuentran establecidos en su normativa específica. No obstante, por lo que se refiere a los **plazos** para la resolución y notificación en los procedimientos administrativos de reconocimiento del derecho a las prestaciones, regulados en el Real Decreto 286/2003, los hemos analizado a lo largo de esta unidad.

Con carácter general, **la duración del derecho se mantiene** mientras sea necesaria, es decir, **mientras dura el proceso patológico**.

La prestación de asistencia sanitaria también forma parte de la acción protectora de los **regímenes especiales**, como son el Régimen especial de trabajadores del Mar, el de Trabajadores Autónomos, el de Funcionarios Públicos, el de la Minería y el Régimen especial de Estudiantes (Seguro Escolar).

Para cubrir la asistencia sanitaria en los desplazamientos por Europa, se debe utilizar la Tarjeta Sanitaria Europea (TSE). Esta tarjeta es individual, tiene una vigencia de dos años, se solicita en la Sede Electrónica de la Seguridad Social y certifica el **derecho de su titular a recibir las prestaciones sanitarias que sean necesarias** desde un punto de vista médico en igualdad de condiciones con los asegurados del país al que se desplaza el ciudadano espa-

ñol, durante una estancia temporal en cualquiera de los siguientes países: los países integrantes de la Unión Europea, los países del espacio Económico Europeo y Suiza.

Los **tipos de prestaciones económicas y/o asistenciales** son los siguientes:

❑ Incapacidad temporal.

❑ Riesgo durante el embarazo y durante la lactancia natural.

❑ Nacimiento y cuidado de menor.

❑ Corresponsabilidad en el cuidado del lactante.

❑ Cuidado de menores afectados por cáncer u otra enfermedad grave.

❑ Incapacidad permanente.

❑ Lesiones permanentes no invalidantes.

❑ Jubilación.

❑ Pensiones del Seguro Obligatorio de Vejez e Invalidez (SOVI).

❑ Muerte y supervivencia.

❑ Indemnización especial a tanto alzado, en los supuestos de accidente de trabajo y enfermedad profesional.

❑ Prestaciones familiares.

❑ Prestación por actos terroristas.

❑ Seguro escolar.

❑ Prestaciones por desempleo.

❑ Otras prestaciones.